Sabine Jentges │ Elke Körner │ Angelika Lundquist-Mog │
Kerstin Reinke │ Eveline Schwarz │ Kathrin Sokolowski

DaF leicht

A 1.2

Kurs- und Übungsbuch mit DVD-ROM

Ernst Klett Sprachen
Stuttgart

Die Symbole bedeuten:

       Sie arbeiten zu zweit.

       Sie arbeiten in der Gruppe.

Track 1   Sie hören einen Audio-Track.

Clip 1   Sie sehen einen Grammatik-Clip.

Film 1   Sie sehen einen Landeskunde-Film.

Seite 101   Das sind passende Seiten im Kurs- und Übungsbuch.

1. Auflage 1 ⁵ ⁴ ³ | 2018 17 16

© Ernst Klett Sprachen GmbH, Stuttgart 2014. Alle Rechte vorbehalten.
Internetadresse: www.klett-sprachen.de

Autorinnen: Sabine Jentges, Elke Körner, Angelika Lundquist-Mog, Kerstin Reinke (Phonetik),
Eveline Schwarz, Kathrin Sokolowski
Beratung: Manfred Schifko, Dietmar Rösler (Grammatik-Clips)

Redaktion: Renate Weber
Redaktionelle Mitarbeit Übungsbuch: Enikő Rabl, Barbara Stenzel
Gestaltungskonzeption: Gert Albrecht, Stuttgart; Claudia Stumpfe
Satz: Bettina Herrmann, Stuttgart; Eva Mokhlis, Stuttgart
Illustrationen: Gert Albrecht, Stuttgart
Umschlaggestaltung: Sabine Kaufmann
Reproduktionen: Meyle + Müller, Medien-Management, Pforzheim;
Corinna Rieber, Druckvorstufe, Marbach (16.1, 17.1, 34, 43.1, 46, 67.1, 137.1)
Druck und Bindung: LCL Dystrybucja Sp. z o.o.
Printed in Poland

ISBN: 978-3-12-676251-9

DaF leicht
– so geht's:

Zum Einstieg ein Foto und Fragen

- mit rätselhaften Fotos auf die Lektion neugierig machen

- mit ein paar Fragen Vorwissen abrufen und in den Unterricht starten

„DIE FOTOS MACHEN LUST AUF DIE LEKTION!"

Lernziele

- für die Lernenden kommunikativ
- für die Lehrenden fachsprachlich

A	48	B	52
Teilen ist Trend		**Geben und nehmen**	

Teilen ist Trend

→ Viele teilen Werkzeug oder Musik. Nur wenige teilen Kleidung oder Schmuck.
→ alle, viele, wenige, niemand
→ Ich teile meinen Kaffee, mein Büro, meine Wohnung.
→ Das ist praktisch, sozial, kommunikativ.
→ Er braucht sein Auto jeden Tag. Sie braucht ihr Auto nicht.

- *Kommunikation: eine Statistik interpretieren; eine Umfrage machen; über Teilen sprechen; Meinung äußern*
- *Wortschatz: Dinge und Ideen; Adjektive zur Beschreibung von Dingen und Ideen*
- *Grammatik: Indefinitpronomen; Possessivartikel im Akkusativ*
- *Landeskunde: Teilen in D-A-CH*

Geben und nehmen

→ Der Rock ist kurz. Das Kleid ist schick. Die Hose ist weit. Die Schuhe sind eng.
→ rot, gelb, grün, blau, schwarz
→ Der Hut gefällt mir, steht mir, passt mir.
→ Ich helfe dir gern. Zeigst du mir das?
→ Sie schenkt dem Freund das Auto. Wem gibt sie das Auto?

- *Kommunikation: über Kleidung sprechen; Gefallen äußern; Suchanzeigen schreiben; ein Märchen verstehen*
- *Wortschatz: Kleidung und Farben; Adjektive zur Beschreibung von Kleidung*
- *Grammatik: Dativ in festen Verbindungen; Verben mit Dativ und Akkusativ; Definitartikel im Dativ*
- *Phonetik: lange und kurze Vokale (Wdhg.)*
- *Landeskunde: Tauschbörsen in D-A-CH; Märchen*

Signalfarbe Rot

- die Lernziele zu Lektionsbeginn und auf jeder Seite
- ergänzende Hinweise zu den Aufgaben, wo man sie braucht

Warum gefällt Ihnen das Kleidungsstück? Begründen Sie.
Lernende werfen sich einen Ball zu und fragen sich gegenseitig.

schick | sportlich | elegant | hässlich | langweilig | modern |
altmodisch | kurz | lang | eng | weit | cool

A: Warum gefällt dir die Hose?
B: Die Hose ist lang und eng. Das gefällt mir. / Die Hose? Die Hose gefällt mir gar nicht.
C: Warum gefallen dir die Schuhe?
D: Die Schuhe sind modern und ich mag schwarz.

Alle Informationen für Lehrende in roter Schrift.

„ALLES AUF EINEN BLICK!"

B | Geben und nehmen

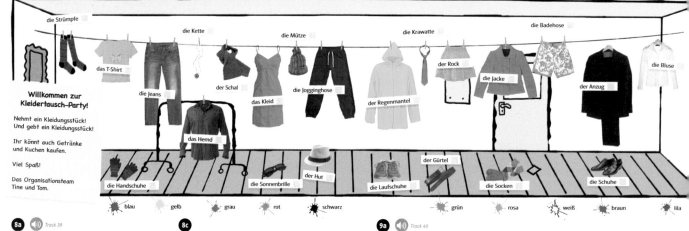

die Strümpfe · die Kette · die Mütze · die Krawatte · die Badehose · das T-Shirt · die Jeans · der Schal · das Kleid · das Hemd · die Jogginghose · der Regenmantel · der Rock · die Jacke · der Anzug · die Bluse · die Handschuhe · die Sonnenbrille · der Hut · die Laufschuhe · der Gürtel · die Socken · die Schuhe

Willkommen zur Kleidertausch-Party!

Nehmt ein Kleidungsstück!
Und gebt ein Kleidungsstück!

Ihr könnt auch Getränke und Kuchen kaufen.

Viel Spaß!

Das Organisationsteam
Tine und Tom.

blau · gelb · grau · rot · schwarz · grün · rosa · weiß · braun · lila

---

8a 🔊 Track 39

Auf der Kleidertausch-Party. Von welchen Kleidungsstücken sprechen die Personen? Hören Sie. Markieren Sie.

8b

Lesen Sie die Dialoge. Spielen Sie die Dialoge.

Anne: Mir gefällt der Mantel und die Farbe gefällt mir auch.
Lena: Der Mantel ist ein bisschen altmodisch, aber die Farbe steht dir gut.
Anne: Ja, gelb ist meine Lieblingsfarbe.

Moritz: Wie gefallen dir die Schuhe?
Anne: Gut. Schwarz ist elegant.

Lena: Mir gefällt der Rock. Er ist ganz schick und rosa. Vielleicht passt mir der Rock.
Anne: Mir gefällt der Rock auch. Aber ist er nicht zu kurz?
Moritz: Kurz gefällt mir. Probier doch mal den Rock an!

8c

Spiel: Was gefällt dir? Sprechen Sie.
Reihenübung: Einer sagt einen Satz, der nächste wiederholt den Satz und sagt einen neuen usw.

A: Mir gefällt der Mantel.
B: Dir gefällt der Mantel. Mir gefällt die Hose.
C: Dir gefällt der Mantel. Dir gefällt die Hose. Mir gefallen die Strümpfe.

8d

Warum gefällt Ihnen das Kleidungsstück? Begründen Sie.
Lernende werfen sich einen Ball zu und fragen sich gegenseitig.

schick | sportlich | elegant | hässlich | langweilig | modern |
altmodisch | kurz | lang | eng | weit | cool

A: Warum gefällt dir die Hose?
B: Die Hose ist lang und eng. Das gefällt mir. / Die Hose? Die Hose gefällt mir gar nicht.
C: Warum gefallen dir die Schuhe?
D: Die Schuhe sind modern und ich mag schwarz.

9a 🔊 Track 40

Lange und kurze Vokale: Hören Sie und lesen Sie.

A: Sag mir, was gefällt dir?
Die Bluse?
A: Der Mantel?
A: Der Rock?
A: Das Shirt?
A: Die Schuhe?
A: Die Jacke?
A: Der Hut?

B: Sie passt mir nicht.
B: Er steht mir nicht.
B: Er gefällt mir nicht.
B: Es passt mir nicht.
B: Sie stehen mir nicht.
B: Sie passt mir nicht.
B: Er gefällt mir nicht.
Aber da, ... das Kleid!
A: Nein! Das ist meins! Tut mir leid!

9b

Hören Sie noch einmal. Markieren Sie die Vokale (fett):
lang ___, kurz ·

9c

Hören Sie noch einmal und sprechen Sie mit.

„DIE HOSE GEFÄLLT MIR. ABER SIE PASST MIR NICHT."

10

Spiel: Kleidung raten. Was ist es? Beschreiben Sie ein Kleidungsstück Ihrer Kurskollegen.
Eine Person fängt an. Die anderen raten. Wer richtig rät, macht we...

A: Sie ist rot. Sie ist kurz und weit.
B: Ist das die Bluse von ...?

📖 Seite 125 Ü-...

Hören Sie. Wo sind die Personen? Kreuzen Sie an.

1 Paul steht am Café.
Paul ist auf dem Café.
Paul sitzt im Café.

2 Lena liegt an der Spree.
Lena ist auf der Spree.
Lena schwimmt in der Spree.

3 Martin ist im Fernsehturm.
Martin ist auf dem Fernsehturm.
Martin steht am Fernsehturm.

3 Clip 11

**Wo bist du? Was machst du? Schreiben und spielen Sie
Dialoge am Telefon.**

A: Hallo, was machst du gerade?
B: Ich bin / stehe / sitze / liege …

der	das	die
am Bahnhof …	am Museum …	an der Spree …
im Bus	im Restaurant	in der Bar
auf dem Turm	auf dem Schiff / Boot	auf der Insel

Bilder und Visualisierungen

- interessante Fotos, witzige Illustrationen

- typische Wendungen in großen Zitaten

- neue Strukturen auf jeder Seite gelb markiert

- unterstützende Visualisierungen zur Grammatik

7 Indefinitpronomen

Man isst in Deutschland viel Brot.
Man isst in Deutschland gern Brot.
Man isst in Deutschland oft Brot.

der Mann ≠ man

Auf den ersten Blick sehen, was wichtig ist.

Themen und Texte

- ansprechende Themen, originell aufbereitet

- leichte, kurze Texte, natürliche Dialoge

- ein modernes Bild der deutschsprachigen Länder

- landeskundliche Informationen und Filme in Landeskunde extra

Ein Zimmer in … kostet …
Das finde ich sehr teuer / teuer / okay /
günstig / sehr günstig.
In … bezahlt man … für ein Zimmer.
Das ist viel / wenig / okay.

„WIE AUS EINEM MAGAZIN!"

Fokus auf Grammatik

- im authentischen Kontext präsentieren
- auf die neue Struktur fokussieren
- sie bewusst machen und üben
- sie selbstständig anwenden

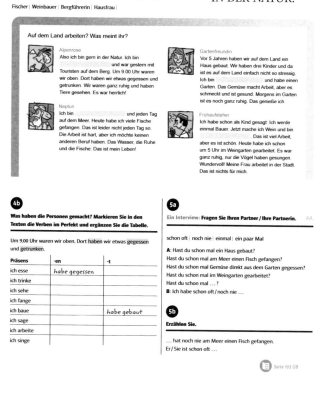

In der Natur arbeiten

4a
Eine Internetumfrage. **Lesen Sie.**
Was sind die Personen von Beruf? Ergänzen Sie.

Fischer | Weinbauer | Bergführerin | Hausfrau |

„ICH BIN GERN IN DER NATUR."

Auf dem Land arbeiten? Was meint ihr?

Alpenrose
Also ich bin gern in der Natur. Ich bin _____ und war gestern mit Touristen auf dem Berg. Um 9.00 Uhr waren wir oben. Dort haben wir etwas gegessen und getrunken. Wir waren ganz ruhig und haben Tiere gesehen. Es war herrlich!

Gartenfreundin
Vor 5 Jahren haben wir auf dem Land ein Haus gebaut. Wir haben drei Kinder und da ist es auf dem Land einfach nicht so stressig. Ich bin _____ und habe einen Garten. Das Gemüse macht Arbeit, aber es schmeckt und ist gesund. Morgens im Garten ist es noch ganz ruhig. Das genieße ich.

Neptun
Ich bin _____ und jeden Tag auf dem Meer. Heute habe ich viele Fische gefangen. Das ist leider nicht jeden Tag so. Die Arbeit ist hart, aber ich möchte keinen anderen Beruf haben. Das Wasser, die Ruhe und die Fische: Das ist mein Leben!

Frühaufsteher
Ich habe schon als Kind gesagt: Ich werde einmal Bauer. Jetzt mache ich Wein und bin _____. Das ist viel Arbeit, aber es ist schön. Heute habe ich schon um 5 Uhr im Weingarten gearbeitet. Es war ganz ruhig, nur die Vögel haben gesungen. Wundervoll! Meine Frau arbeitet in der Stadt. Das ist nichts für mich.

4b
Was haben die Personen gemacht? Markieren Sie in den Texten die Verben im Perfekt und ergänzen Sie die Tabelle.

Um 9.00 Uhr waren wir oben. Dort haben wir etwas gegessen und getrunken.

Präsens	-en	-t
ich esse	habe gegessen	
ich trinke		
ich sehe		
ich fange		
ich baue		habe gebaut
ich sage		
ich arbeite		
ich singe		

5a
Ein Interview: **Fragen Sie Ihren Partner / Ihre Partnerin.**

schon oft | noch nie | einmal | ein paar Mal

A: Hast du schon mal ein Haus gebaut?
Hast du schon mal am Meer einen Fisch gefangen?
Hast du schon mal Gemüse direkt aus dem Garten gegessen?
Hast du schon mal im Weingarten gearbeitet?
Hast du schon mal ...?
B: Ich habe schon oft / noch nie ...

5b
Erzählen Sie.

... hat noch nie am Meer einen Fisch gefangen.
Er / Sie ist schon oft ...

Seite 103 ÜB

Grammatik-Clips

Er ist 2014 nach Berlin gereist.

Er hat etwas Neues gesucht.

Er hat Deutsch gelernt

Er hat ge...t

- Strukturen sehen und verstehen
- Regeln begreifen
- einfach, reduziert, witzig

„GRAMMATIK-LERNEN EINMAL ANDERS!"

Die Grammatik-Clips kann man in der Präsentationsphase flexibel und mehrfach einsetzen.

Rhythmus und Struktur

- Strukturen hören und nachahmen
- Sprechrhythmus spielerisch einüben
- Sprechsicherheit aufbauen

hören, brummen, mitsprechen
hören, brummen, mitsprechen

7a Track 15

Im Rhythmus: Hören Sie und lesen Sie.

A: Ein paar Tage frei! Aha. Wer ist mit dabei? Jaja.
B: Ich komm mit, du. Wohin gehst du?
Ich komm mit, du. Wohin gehst du?

Die Rhythmusstücke kann man so lange wiederholen, wie es Spaß macht, und mit Gestik unterstützen.

1
Bildwörterbuch

sitzen

an der Spree

06 In Berlin ist was los!

Nomen	die Bar, -s	der Platz, -̈e	Verben	Adjektive	Adverbien	Präpositionen
der Ort, -e	die Strandbar, -s	die Leute (nur Pl.)	frühstücken	günstig	links	in
die Straße, -n	der Club, -s	der DJ, -s	kaufen	chinesisch	rechts	an
die Kunst, -̈e	der Cocktail, -s	die Idee, -n	genießen	amerikanisch	geradeaus	auf
die Kultur, -en	das Einkaufszentrum,	das Produkt, -e	sitzen	französisch	zuerst	von ... zu ...
das Café, -s	-zentren	die Erfahrung, -en	stehen	italienisch	dann	
der Turm, -̈e	das Kaufhaus, -̈er	das Studium, Studien	liegen	türkisch	danach	Fragewörter
der Fernsehturm	der Flohmarkt, -̈e	das Studentenwohnheim, -e	besuchen	wunderbar	gestern	Wo?

Im Übungsbuch lernen und üben

- Lernwortschatz mit Bildern und Tipps

- pro Einheit im Kursbuch eine Seite mit Übungen

- Wortschatz und Grammatik selbstständig üben

- als Hausaufgabe oder für Stillphasen im Unterricht

- eine Seite Schreibtraining:

  Rechtschreibung, kreative und persönliche Texte

- eine Seite Aussprachetraining:

  Einzelphänomene erkennen,

  differenzieren, üben

gelernt

12a

Finden Sie 10 Partizipien und schreiben Sie sie in die Tabelle.

G	E	S	A	G	T	L	G	E	S	U	N	G	E	N
I	G	E	A	R	B	E	I	T	E	T	T	S	G	I
V	E	C	X	N	N	F	G	L	S	H	V	O	G	N
R	S	M	M	G	U	O	N	U	Y	F	N	I	E	M
W	E	G	G	E	G	A	N	G	E	N	F	F	F	F
C	H	Y	E	B	F	S	D	J	D	H	R	D	A	S
P	E	Y	H	A	R	G	F	G	E	S	S	E	N	X
									O	U	K	C	G	U
									R	U	N	K	E	N
									W	R	F	U	N	Y

S T ISCH
TUL I H LUH S

gemacht

Online wiederholen und testen

- pro Lektion 5 Übungen mit allen

  wichtigen Themen der Lektion

- mit Übungs- und Testmodus

- mit Hilfen / mit Auswertung

  auf www.klett.de/dafleicht

DaF leicht A1.2

Audio
Tracks
Tracks

Grammatik
Clips

Landeskunde
Filme

Medienvielfalt

- alle Audios, Grammatik-Clips und

  Landeskunde-Filme auf der DVD-ROM

- und für Tablets und Smartphones auf

  www.klett-sprachen.de/dafleicht-online

- oder extra im Medienpaket mit

  CDs und DVD

„LERNEN – WANN UND WO MAN WILL!"

Inhalt

„ICH SITZE IM CAFÉ."

„ICH MÖCHTE ANS MEER!"

„WIR WOHNEN IN EINER WG."

„ICH HELFE DIR GERN."

„ALLES GUTE"

Gefällt Dir
der Anzug?

Der?

06

Der Bär ist ein Symbol
von Hamburg, Berlin, Wien, …
Er sagt: „Hallo. Herzlich willkommen
Auf Wiedersehen. …

In Berlin ist was los!

A | Orte in Berlin

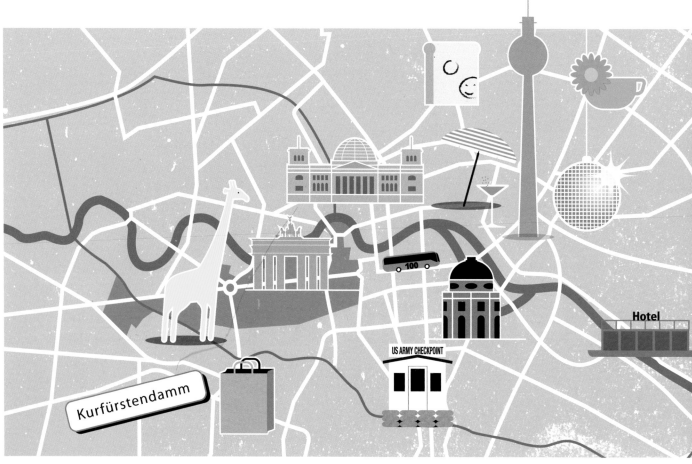

1a

24 Stunden in Berlin. Was kann man machen?
Lesen Sie die Tipps.

1b

Suchen Sie die Orte auf der Karte.

1c

Suchen Sie die Antworten im Text.

Wo frühstückt man günstig?	Im Café Anna Blume.
Wo genießt man die Aussicht?	Auf *dem Fernsehturm*.
Wo trinkt man einen Cocktail?	*In* der *Strandbar* .
Wo geht man tanzen?	*Im* Club Kaffee Burger.

1d Track 1   Seite 20 KB

Hören Sie. Wo sind die Personen? Kreuzen Sie an.

2 Paul steht am Café.
Paul ist auf dem Café.
Paul sitzt im Café. X

Lena liegt an der Spree. X
Lena ist auf der Spree.
3 Lena schwimmt in der Spree.

Martin ist im Fernsehturm.
Martin ist auf dem Fernsehturm. X
Martin steht am Fernsehturm.

Ihr seid in Berlin, aber ihr habt nicht viel Zeit? Kunst, Kultur oder shoppen und ausgehen – in Berlin ist immer was los!

10 Uhr Prenzlauer Berg
Im Café Anna Blume frühstücken: typisch Berlin, lecker und günstig.

11 Uhr Fernsehturm
Auf dem Fernsehturm die Aussicht genießen. Ein Ticket kostet 12,50 Euro, aber die Aussicht ist super!

12 Uhr Stadtrundfahrt
Im Bus (Linie 100) sitzen und eine Stadtrundfahrt machen. Man sieht viele Sehenswürdigkeiten und das Ticket kostet nur 2,60 Euro.

14 Uhr Shoppen gehen
Auf dem Kurfürstendamm einkaufen gehen. Die Berliner nennen die Shopping-Straße kurz Kudamm.

16 Uhr Museen
Im Museum am Checkpoint Charlie die Mauer und ihre Geschichte erleben oder ein Museum auf der Museumsinsel besuchen.

18 Uhr Chillen
In der Strandbar Mitte einen Cocktail trinken. Die Bar liegt direkt an der Spree.

19 Uhr Pause
Im Hotel eine Pause machen. Der Abend kann beginnen.

21 Uhr Abendessen
Im Restaurant White Trash Fast Food gute Live-Musik hören und amerikanisch-chinesisch essen. Lecker!

23 Uhr Ausgehen
Im Club Kaffee Burger die ganze Nacht tanzen! Berliner und Touristen lieben den Club.

2a *Track 2*

Im Rhythmus: Hören Sie und lesen Sie.

In Ber**lin**, in Ber**lin**, im Ca**fé** an der **Spree**.
In der **Strand**bar, in der **Strand**bar.
Auf dem **Turm**, auf dem **Boot**, im Ca**fé** an der **Spree**.
In der **Strand**bar, in der **Strand**bar.

In Ber**lin**, in der **Stadt**, im Mu**se**um und – **klar**:
In der **Strand**bar, in der **Strand**bar.
Auf dem **Ku**damm und im **Bus** und – ja **klar**:
In der **Strand**bar, in der **Strand**bar.
In der **Strand**bar. Na **klar**!

2b

Hören Sie noch einmal. Sprechen Sie mit.

---

3 *Clip 11*

Wo bist du? Was machst du? Schreiben und spielen Sie Dialoge am Telefon.

A: Hallo, was machst du gerade?
B: Ich bin / stehe / sitze / liege …

der	**das**	**die**
am Bahnhof …	am Museum …	an der Spree …
im Bus	im Restaurant	in der Bar
auf dem Turm	auf dem Schiff / Boot	auf der Insel

„*ICH SITZE IM CAFÉ.*"

 Seite 92 ÜB

Shopping-Tour

 4a

**Shoppen gehen in Berlin. Sehen Sie die Fotos an.
Was kennen Sie? Was finden Sie interessant?**

das Einkaufszentrum Alexa am Alexanderplatz 2
die Torstraße, Einkaufsstraße am Rosenthaler Platz
der Flohmarkt am Mauerpark in der Bernauer Straße 5
das KaDeWe am Kurfürstendamm 3
das Kultur-Kaufhaus Dussmann auf der Friedrichstraße 4

 4b 🔊 *Track 3*

**Hören Sie. Welches Foto passt zu welcher Station
der Shopping-Tour? Ordnen Sie zu.**

 4c

**Suchen und markieren
Sie die Orte auf der Karte.**

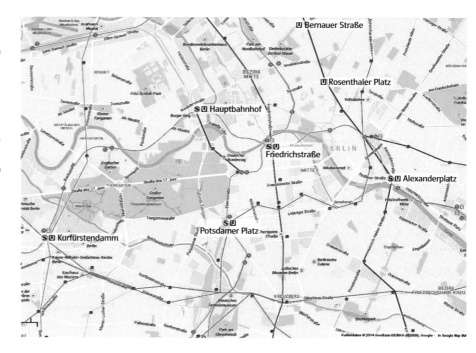

4d 📄 *Seite 20 KB*

Beschreiben Sie den Weg.

*Die Lernenden rekonstruieren die Shopping-Tour
mit Hilfe der Karte.*

A: Wo starten wir?
B: Wir starten am Alexanderplatz / an der
Friedrichstraße / ...
A: Und wie fahren wir dann? / Und dann?
B: Wir fahren vom Alexanderplatz / von
der Friedrichstraße / ...
zum Kurfürstendamm / zur Bernauer
Straße / ...

 5a

**Ihre Shopping-Tour. Welche drei Einkaufsorte möchten
Sie besuchen? Notieren Sie.**

1. _____ ,
2. _____ ,
3. _____ .

5b

**Sie sind am Hauptbahnhof. Wie müssen Sie fahren?
Machen Sie Notizen.**

Wir fahren vom Hauptbahnhof zur U-Bahn-Station ...
Von der U-Bahn-Station ... gehen wir zum / zur ...
Wir fahren vom / von der ...

📄 *Seite 93 ÜB*

Wie komme ich zum Potsi?

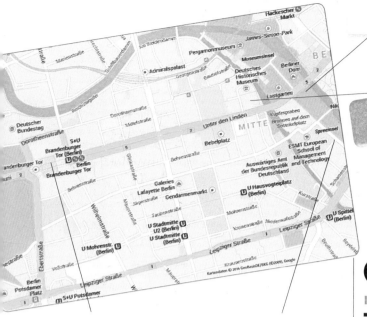

Schlossplatz

Neue Wache

„ENTSCHULDIGEN SIE, WO BIN ICH HIER?"

Pariser Platz   Stadtbibliothek

 6a

In Berlin Mitte. Sehen Sie die Karte an. Wie heißen die Ziele?

  Stadtbibliothek

6b 🔊 *Track 4*

Hören Sie den Dialog. Wo ist die Person? Wohin möchte sie? Gehen Sie den Weg auf der Karte mit.

A: Entschuldigen Sie, wo bin ich hier?
B: Hier? Na, Sie sind auf dem Potsi, dem Potsdamer Platz.
A: Ah, ok. Und wie komme ich zum Brandenburger Tor?
B: Vom Potsdamer Platz zum Brandenburger Tor? Ganz einfach:
Gehen Sie zuerst links und dann geradeaus bis zur Straße *straight*
des 17. Juni. Gehen Sie danach rechts. Geradeaus kommt das
Brandenburger Tor. *then*
A: Hmm, danke. Also zuerst links, dann geradeaus, dann rechts
und danach wieder geradeaus.
B: Ja genau!

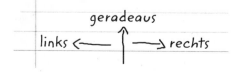

geradeaus
links ← ↑ → rechts

6c 🔊 *Track5*

Hören Sie die Dialoge. Notieren Sie die Wege: ↑, ←, →.

7a 🔊 *Track 6*

Im Rhythmus: Hören Sie und lesen Sie.

A: Ent**schul**digen Sie bitte, wie komme ich zum **Ku**damm?
B: Da gehen Sie hier gleich **links** und danach gerade**aus**
bis zum **Sport**platz und dann **rechts**. Da sehen Sie ein
Haus. Dort gehen Sie dann noch mal **rechts**.
A: Dann bin ich endlich **da**?
B: Nein, dann **fra**gen Sie noch mal. Alles **klar**?
A: Na**ja** …

7b

Hören Sie noch einmal. Sprechen Sie (in Gruppen) mit.

7c

Spielen Sie das Gespräch (mit Mimik und Gestik). 👥

8a

Wie komme ich … ? Wählen Sie drei Orte von der Karte.

1.   , 2.   , 3.   .

8b

Fragen Sie Ihren Partner nach dem Weg. 👥

A: Wie komme ich vom / von der … zum / zu der … ?
B: Gehen Sie zuerst …, dann …, danach geradeaus / rechts /
links bis zum / zur … !
A: Sagen Sie bitte, wie komme ich vom / von der … zum / zu der
… ?
B: Sehen Sie hier auf der Karte! Gehen Sie zuerst …, dann … !

 Seite 94 ÜB

B | Menschen in Berlin

1 **Hier bleibe ich**

Ich bin chinesisch-amerikanisch und habe lange in New York gewohnt. Dort habe ich viele Erfahrungen experience *gemacht. Aber ich habe etwas Neues gesucht. Vor 14 Jahren* before *bin ich nach Berlin gereist. Ich habe die Stadt sofort geliebt: Die U-Bahn-Stationen sind bunt, die Menschen kreativ,* immediate *das Essen ist international. Man findet Speisen aus der* food *ganzen Welt. Und vor fünf Jahren habe ich gesagt: Hier bleibe ich. Als DJ habe ich schon in vielen Clubs gearbeitet. Die Nächte in Berlin sind immer lang, das war vor 14 Jahren so und ist auch heute so.*

Aurelie Cocheril, La Bretonelle

Miriam van den Bro◌
Studentin

9a

Berliner. Sehen Sie die Fotos an. Was glauben Sie: Wer sind die Personen? Woher kommen sie? Was arbeiten / machen sie?

9b

Lesen Sie die Texte und ordnen Sie sie den Fotos zu.

„*ICH HABE ETWAS NEUES GESUCHT.*"

9c

Wer sagt was? Suchen Sie in den Texten von Aurelie und Daniel.

Aufgabe c–e: Lernende bearbeiten jeweils nur einen Text und tragen die Ergebnisse zusammen.

	Daniel	Aurelie
Berlin ist	— .	.
Die U-Bahn-Stationen sind	bunt .	.
Die Menschen sind	.	.
Das Essen ist	.	.
Die Nächte sind	.	— .

9d

Suchen Sie im Text nach Zeitangaben und notieren Sie die Tätigkeiten.

vor 14 Jahren   vor   vor   vor   heute

Daniel ist nach Berlin gereist.

Daniel Wang, DJ

2 Berlin ist wunderbar

Ich bin vor zehn Jahren nach Berlin gekommen. Wie viele Franzosen liebe ich die Stadt. Berlin ist wunderbar. Die Leute sind sehr offen. Ich bin als Studentin aus der Bretagne gekommen, ohne ein Wort Deutsch. Aber an der Universität habe ich die Sprache schnell gelernt. Vor zwei Jahren hatte ich eine Idee: ein Shop mit bretonischen Lebensmitteln. Das Essen in Berlin ist sehr international, aber bretonische Produkte findet man nur hier. Ich habe viele Produkte aus Frankreich geholt. Die Deutschen kaufen vor allem die Marmeladen sehr gern.

3 Ich liebe Berlin

Ich komme aus einem Dorf in den Niederlanden. Vor zwei Jahren bih *ich mit der Uni nach Berlin* gereist *(reisen). Das war so toll! Ich* habe *ganz neue Erfahrungen* gemacht *(machen). Vor einem Jahr* bin *ich zum Studium wieder nach Berlin* gekommen *(kommen). Am Anfang* habe *ich im Studentenwohnheim* gewohnt *(wohnen), jetzt habe ich ein Zimmer in einer WG. Berlin ist oft anstrengend, manchmal auch anonym. Aber es ist auch so spannend. Ich liebe Berlin.*

 9e

Markieren Sie in Ihren Texten die Verben im Perfekt mit zwei Farben.

Ich **bin** vor zehn Jahren nach Berlin **gekommen**.
Ich **habe** lange in New York **gewohnt**.

 9f   Clip 12   Seite 21 KB

Schreiben Sie die Verbformen aus den Texten in die Tabelle.

Präsens	Perfekt mit sein	Perfekt mit haben
ich komme	bin gekommen	
ich wohne		habe gewohnt
ich liebe		habe geliebt
ich suche		habe gesucht
ich reise	bin gereist	
ich mache		habe gemacht
ich sage		habe gesagt
ich arbeite		habe gearbeitet
ich lerne		habe gelernt
ich hole		habe geholt

 9g

Lesen Sie und ergänzen Sie die Lücken in Text 3.

Lernende ergänzen die Lücken und vergleichen dann mit dem Partner.

 10

Was haben Sie vor zwei, drei, … Jahren gemacht?
Schreiben Sie einen kurzen Text.

Lernende schreiben Texte und hängen sie im Kursraum auf. Die anderen raten, von wem die Texte sind.

Ich **habe** in … **gewohnt**
    habe … **gemacht**
    habe … **gearbeitet**
    bin … **gereist**
    bin nach … **gekommen**

Seite 95 ÜB

Nur eine Frage

11a

Was haben Sie gestern um 23 Uhr gemacht?
Sehen Sie die Fotos an. Was kennen Sie?

1

6

5

3

2

4

11b *Track 7*

Hören Sie die Antworten und notieren Sie die Reihenfolge.

11c Clip 12 Seite 20 KB

Schreiben Sie die Sätze geordnet in die Tabelle.

A: haben – gemacht – Was – Sie – gestern um 23 Uhr
B: habe – Ich – einen Döner – gegessen
C: sind – auf dem Bier-Fahrrad – Wir – gefahren
D: sehr müde – Ich – war
   habe – geschlafen – Ich – tief und fest
E: spazieren gegangen – Wir – sind – an der East Side Gallery
F: habe – auf dem Tanzschiff – getanzt – Ich
G: Besuch – hatte – Ich
   im Open-Air-Kino – waren – Wir

Was	haben	Sie gestern um 23 Uhr	gemacht?
Ich	habe	einen Döner	gegessen.
Wir	sind	auf dem Bier-Fahrrad	gefahren
	war	sehr müde	
Ich	habe	tief und fest	geschlafen
Wir	sind	an der East Side	spazieren gegangen.
Ich	habe	auf dem Tanzschiff	getanzt
Ich	hatte	Besuch	
Wir	waren	im Open-Air-Kino	

12a Track 8 Seite 21 KB, Seite 99 ÜB

Im Rhythmus: Hören Sie und lesen Sie. Sprechen Sie e leise.
Achten Sie auch auf den Wortakzent in gemacht, ge…

A: Was hast du ge**macht** heut' Nacht?
Was hast du ge**macht**?
B: Was habt ihr ge**macht** heut' Nacht?
Was habt ihr ge**macht**?
c: **Ich**? Ich hab' ge**tanzt**, ge**tanzt** die ganze Nacht.
A: **Sie**? Sie hat ge**tanzt**, ge**ges**sen und ge**lacht**.
D: **Ich**? Ich hab' ge**schla**fen. Ich hab' **nichts** gemacht.
B: **Er**? Er hat ge**schla**fen. Das hat er ge**macht**.
AB: Und **wir**, wir sind ge**reist**, ge**reist** die ganze Nacht.
   Was habt ihr ge**macht** heut Nacht, …

12b

Hören Sie noch einmal. Sprechen Sie (in Gruppen) mit.

12c

Spielen Sie das Gespräch.

„*UM 23 UHR?*
DA HABE ICH
GESCHLAFEN."

13

Und Sie? Was haben Sie gemacht? Fragen und antworten Sie.
Lernende gehen im Kursraum herum und suchen Partner
mit der gleichen Tätigkeit.

A: Was hast du / habt ihr gestern um … Uhr / vor … Tagen / am
… gemacht?
B: Ich habe / Wir haben gearbeitet / gegessen / geschlafen / …
geküsst / gelacht / …
Ich bin / wir sind gegangen / … gefahren / …
Ich war … / ich hatte … / wir waren … / wir hatten …

Seite 96 ÜB

Berliner Bären auf Reisen

 14a

Was ist das? Wo ist das? Raten Sie.

Ich glaube, das sind … Ich denke, das ist in …

 14b *Track 9*

Hören Sie den Text. Wie heißen die Figuren?

 14c

Lesen Sie den Text.

Der Bär ist ein Symbol von Berlin. Im Jahr 2001 haben Künstler 350 Berliner Bären bunt bemalt. Sie heißen „Buddy Bären". Heute gibt es über 1000 Buddy Bären in der ganzen Welt.

Die Bären reisen sehr gern: Sie waren 2004 in Hongkong und Istanbul (Türkei). Tokio (Japan) und Seoul (Südkorea) haben sie 2005 besucht. Im Sommer 2006 sind die Bären wieder nach Hause – nach Berlin – gekommen. Danach sind sie nach Wien (Österreich) gereist. Die Stationen im Jahr 2007 waren Kairo (Ägypten) und danach Jerusalem (Israel). Ein Jahr später sind die Bären nach Warschau (Polen) und dann nach Pjöngjang (Nordkorea) gereist. 2009 waren die Bären in Südamerika, dort haben sie Buenos Aires (Argentinien) und Montevideo (Uruguay) besucht.

Die Buddy Bären hatten in allen Städten viele Besucher. Waren die Bären auch in eurem Land? Wart ihr auch da?

 14d

Wann waren die Bären wo? Suchen Sie im Text nach Zeitangaben und notieren Sie die Orte.

2001	2004	…
zweitausendeins	zweitausendvier	

→

Berlin	Hongkong

 14e *Track 10*

Wo waren die Bären danach? Hören Sie und ergänzen Sie die Jahreszahlen.

2010 : Helsinki (Finnland)
20___ : Kuala Lumpur (Malaysia)
_____ : Paris (Frankreich)
_____ : Mexiko-Stadt (Mexiko)
_____ : Rio (Brasilien)

 14f *Seite 21 KB*

Berichten Sie: Wo waren die Bären?

Die Bären hatten schon viele Stationen. Sie waren in … und in …

 15a

Wo waren Sie 2001, 2002, … ? Notieren Sie Ihre Stationen.

 15b

Fragen und antworten Sie.

A: Wo warst du / wart ihr 2001?
B: 2001 war ich / waren wir in …
A: Warst du / Wart ihr in Paris?
B: Ja / Nein, ich war / wir waren (nicht) in Paris.
A: Hattest du / Hattet ihr Spaß?
B: Ja, ich hatte / wir hatten viel Spaß. Es war sehr schön.

 „WO WARST DU?"

 Seite 97 ÜB

REDEMITTEL

Wegbeschreibung

Entschuldigen Sie, wo ist das Brandenburger Tor?
Gehen Sie zuerst links, dann geradeaus und danach wieder links. Dann sind Sie da.
Entschuldigung, wie komme ich vom Brandenburger Tor zur Friedrichstraße?
Sehen Sie hier auf der Karte. Gehen Sie …

Zeitangaben

zuerst – dann – danach

Zuerst war ich im Café Einstein. Dort habe ich gefrühstückt. Dann habe ich das Neue Museum besucht. Und danach bin ich shoppen gegangen!

Jahreszahlen

1000 – 1001 – 1002 – 1003 – 2000 – 2010 – 2011 –
(ein)tausend – (ein)tausendeins – (ein)tausendzwei – (ein)tausenddrei – zweitausend – zweitausendzehn – zweitausendelf –

2013 – 3000 – 9099
zweitausenddreizehn – dreitausend – neuntausendneunundneunzig …

STRUKTUREN

in, an, auf + Dativ *Clip 11*

Ich bin / ste-   he / sitze …

im Club (der)	im Museum (das)	in der Bar (die)
am Bahnhof (der)	am Brandenburger Tor (das)	an der Spree (die)
auf dem Fernsehturm (der)	auf dem Hotel (das)	auf der Friedrichstraße (die)

> in dem = im
> an dem = am
> von dem = vom
> zu der = zur

von, zu + Dativ

Wir fahren / gehen …

vom Alexanderplatz (der)	vom Museum (das)	von der Spree (die)
zum Potsdamer Platz (der)	zum Hotel (das)	zur Friedrichstraße (die)

Perfekt *Clip 12*

1	2	3, 4, …	Satzende
Ich	bin	vor zehn Jahren nach Berlin	gekommen.
Du	bist	vor drei Jahren nach Berlin	gereist.
Er / Sie	ist	ein Jahr danach	gekommen.
Wir	sind	zum Brandenburger Tor	gegangen.
Ihr	seid	zur Friedrichstraße	gefahren.
Sie	sind	nach Potsdam	gereist.

1	2	3, 4, …	Satzende
Ich	habe	in New York	gewohnt.
Du	hast	die Stadt	geliebt.
Er / Sie	hat	ein Hotel	gesucht.
Wir	haben	im Club	getanzt.
Ihr	habt	Döner	gegessen.
Sie	haben	Musik	gehört.

> Perfekt mit sein
> Ort A ⟶ Ort B
>
> Perfekt mit haben
> alle anderen Verben

Partizip II

ge___t / et	ge___en
ich habe gemacht	ich bin gekommen
ich bin gereist	ich bin gegangen
ich habe gearbeitet	ich bin gefahren

auch:
ich habe gehört, gespielt,
geküsst, gelacht, getanzt,
gesucht, gewohnt, im Internet
gesurft, gelebt, geliebt

auch:
ich habe gegessen

> *Das Partizip II verändert*
> *sich nicht.*

> *Bei regelmäßigen Verben:*
> *ge + _____ + (e)t*
>
> *Bei unregelmäßigen Verben:*
> *ge + (meist) Vokalwechsel + en*

Das Präteritum von sein und haben

sein	haben
ich war	ich hatte
du warst	du hattest
er / sie / es war	er / sie / es hatte
wir waren	wir hatten
ihr wart	ihr hattet
sie waren	sie hatten
Sie waren	Sie hatten

> *sein und haben:*
> *Für die Vergangenheit nimmt*
> *man meistens das Präteritum:*
> *Ich war in Berlin und hatte*
> *viel Spaß!*

Wortakzent und schwaches e *Track 11*

Wortakzent
↓

ge	**ar**beit	et
ge	**komm**m	en
ge	**gess**s	en
	hab	e
	hab	en
	hatt	en

↓   e ist schwach   ↓

> *e fällt manchmal weg in:*
> *gekommen, gegessen, habe,*
> *haben, hatten, …*

Alles im Rhythmus *Track 12*

Du, das ist so **po**sitiv.
Wir sind hier in Ber**lin**, wir sind **hier**.
Du, wir sind so krea**tiv**.
Und das auf dem **Fo**to sind **wir**.

Ja, das ist so **wun**derbar.
Auf dem **Ku**damm im **Club** in der **Nacht**.
Du, da waren wir in der **Bar**
und haben ge**tanzt** und ge**lacht**.

He **du**, das ist so **wun**derbar.
He **du**, das ist so **wun**derbar.

07

Welcher Titel passt?
Fahrrad-Pause, Fahrrad-Kunst, Fahrrad-Liebe, …
Heute nicht! Winterschlaf. Ist das kalt!

Natur und Sport

Redemittel, Strukturen, Aussprache

A | Landliebe

auf dem Berg

im Wald

am Meer

im Garten

1a 🔊 *Track 13*

Die Natur genießen. Machen Sie die Augen zu und hören Sie.
Wo sind Sie? Was sehen Sie? Zeichnen Sie.

Lernende hören die Geräusche bei geschlossenem Buch zweimal. Sie
zeichnen zu einer Szene ein Bild und vergleichen ihre Bilder mit den Fotos.

1b

Sehen Sie die Fotos an. Ergänzen Sie Wörter auf Ihrem Bild.

1c

Lesen Sie die Wörter zu „Ihrem" Ort vor.
Ihre Partner raten den Ort.

A: Wo ist das? Dort gibt es einen Vogel, …
B: Das ist im Wald.

1d

Spiel: Berg, Meer, Wald, Garten, … Was gibt es dort?
Was gibt es dort nicht? Notieren Sie Nomen.

Lernende notieren in 3 Minuten Nomen zu den Orten, evtl. benutzen sie
ein Wörterbuch. Wer hat die meisten Wörter?

auf dem Berg:

am Meer:

im Wald:

im Garten: *die Beere*

1e

Sprechen Sie.

Auf dem Berg gibt es Vögel, aber es gibt keinen Strand.
Am Meer gibt es …

Erfolg am Zeitungskiosk

„Landlust", „Landidee" oder „Land und Berge".
Es gibt mehr als verschiedene Zeitschriften –
alle haben die Natur als Thema und alle sind Bestseller. Die Zeitschriften kann man 2 Mal im Jahr
kaufen. Sie kosten zirka Euro und haben zirka
4 Seiten.
Zum Beispiel die Zeitschrift „Landlust": Zirka
5 Menschen kaufen sie regelmäßig.
Wer sind die Leser? Viele wohnen in der Stadt, verdienen gut und sind zirka 6 Jahre alt.
Aber auch junge Menschen lesen die Zeitschrift gern.

2a

**Erfolg am Zeitungskiosk. Sehen Sie die Zeitschriften an.
Was ist das Thema? Raten Sie.**

- Reisen in fremde Länder
- Auf dem Land ist es schön
- In Deutschland leben

2b

Lesen Sie. Welche Zahl passt wo? Ergänzen Sie. ⚲⚲

1 Million   4

6   40 bis 60

          150

    10

(1) 10; (2) 6; (3) 4; (4) 150; (5) 1 Million; (6) 40 bis 60

2c 🔊 *Track 14*

**Welche Themen gibt es in den Zeitschriften?
Hören Sie zweimal und kreuzen Sie an.**

- Fotografieren
- Musik
- Sport
- Garten
- Kochen
- Auto

- Reisen
- Probleme auf dem Land
- Gesundheit
- Berufe auf dem Land
- Mein Zuhause
- Computer

2d

Berichten Sie.

Es gibt die Themen …
Die Themen … gibt es nicht.

„HIER GIBT ES KEINEN STRESS!"

3a

**Wo möchten Sie jetzt gern sein? Wählen Sie einen Ort
und finden Sie Partner.**
Lernende gehen im Kursraum herum und suchen Partner.

auf dem Berg | im Wald | am Meer | in der Stadt |
auf dem Land | im Garten

Möchtest du auf dem Berg sein? Möchtest du im …

3b

**Warum möchten Sie dort sein? Was machen Sie dort?
Schreiben Sie einen Text und präsentieren Sie ihn.** ⚲⚲⚲

Wir möchten … sein.
Da ist es … Es gibt …
Es gibt kein/e/en … Wir …

In der Natur arbeiten

 4a

Eine Internetumfrage. **Lesen Sie.**

Was sind die Personen von Beruf? Ergänzen Sie.

 „*ICH BIN GERN IN DER NATUR.* "

Fischer | Weinbauer | Bergführerin | Hausfrau |

Auf dem Land arbeiten? Was meint ihr?

 Alpenrose
Also ich bin gern in der Natur. Ich bin
Bergführerin und war gestern mit
Touristen auf dem Berg. Um 9.00 Uhr waren
wir oben. Dort haben wir etwas gegessen und
getrunken. Wir waren ganz ruhig und haben
Tiere gesehen. Es war herrlich!

 Neptun
Ich bin *Fischer* und jeden Tag
auf dem Meer. Heute habe ich viele Fische
gefangen. Das ist leider nicht jeden Tag so.
Die Arbeit ist hart, aber ich möchte keinen
anderen Beruf haben. Das Wasser, die Ruhe
und die Fische: Das ist mein Leben!

 Gartenfreundin
Vor 5 Jahren haben wir auf dem Land ein
Haus gebaut. Wir haben drei Kinder und da
ist es auf dem Land einfach nicht so stressig.
Ich bin *Hausfrau* und habe einen
Garten. Das Gemüse macht Arbeit, aber es
schmeckt und ist gesund. Morgens im Garten
ist es noch ganz ruhig. Das genieße ich.
enjoy

 Frühaufsteher
Ich habe schon als Kind gesagt: Ich werde
einmal Bauer. Jetzt mache ich Wein und bin
Weinbauer . Das ist viel Arbeit,
aber es ist schön. Heute habe ich schon
um 5 Uhr im Weingarten gearbeitet. Es war
ganz ruhig, nur die Vögel haben gesungen.
Wundervoll! Meine Frau arbeitet in der Stadt.
Das ist nichts für mich.

 4b

Was haben die Personen gemacht? Markieren Sie in den Texten die Verben im Perfekt und ergänzen Sie die Tabelle.

Um 9.00 Uhr waren wir oben. Dort haben wir etwas gegessen und getrunken.

Präsens	-en	-t
ich esse	*habe gegessen*	
ich trinke	*habe getrunken*	
ich sehe	*habe gesehen*	
ich fange	*habe gefangen*	
ich baue		*habe gebaut*
ich sage	*habe gesagt*	
ich arbeite		*habe gearbeitet*
ich singe	*habe gesungen*	

 5a

Ein Interview: **Fragen Sie Ihren Partner / Ihre Partnerin.**

schon oft | noch nie | einmal | ein paar Mal

A: Hast du schon mal ein Haus gebaut?
Hast du schon mal am Meer einen Fisch gefangen?
Hast du schon mal Gemüse direkt aus dem Garten gegessen?
Hast du schon mal im Weingarten gearbeitet?
Hast du schon mal …?
B: Ich habe schon oft / noch nie …

5b

Erzählen Sie.

… hat noch nie am Meer einen Fisch gefangen.
Er / Sie ist schon oft …

 Seite 103 ÜB

Raus in die Natur!

6a

Ein paar Tage frei. **Was möchte Tobi machen? Sehen Sie die Fotos an und notieren Sie die Aktivitäten.**

Hallo Leute,

ich habe ein paar Tage frei und viele Ideen. ☺ Wer kommt mit?

Mittwoch: früh am Morgen an den See fahren. Joggen am See ist toll!

Donnerstag: in den Park gehen und im Fluss surfen. Im Park (!) gibt es eine
richtig große Welle! Nur für Profis! *waves*

Freitag: nach Italien ans Meer fahren und barfuß am Meer spazieren gehen.

Samstag: auf den Berg klettern (ächz!) und oben auf dem Berg die Aussicht
genießen. ☺ *climb*

Sonntag: in die Stadt fahren und in die Bar gehen. In der Salsa-Bar gibt es
sonntags Live-Musik.

Wer macht mit? Schreibt mir bitte!

6b   *Clip 13*

Lesen Sie den Text und ergänzen Sie.

Wohin möchte Tobi fahren / gehen?   Wo ist er? Was möchte er dort machen?

an den See fahren   *am See joggen*

in den *Park gehen*   *im Park*

ans (an das) *Meer*   *am Meer*

auf den *Berg*   *auf dem Berg*

in die *Stadt fahren*   *in der Stadt*

6c

Fragen Sie. Antworten Sie.   ☿

A: Wohin möchte Tobi am … fahren?

B: Er möchte …

A: Wo möchte Tobi …?

B: Er möchte …

„*ICH MÖCHTE*
ANS MEER!"

7a   *Track 15*

Im Rhythmus: **Hören Sie und lesen Sie.**

A: Ein paar Tage **frei**! **A**ha. Wer ist mit da**bei**? Ja**ja**.

B: Ich komm **mit**, du. Wohin **gehst** du?
Ich komm **mit**, du. Wohin **gehst** du?

A: Ich geh an den **See**.   **B:** Mensch, coole I**dee**!

A: Oder barfuß ans **Meer**. **B:** Das gefällt mir **sehr**.

A: In die Stadt in die **Bar**? **B:** Mensch **wun**derbar!

A: Ein paar Tage **frei**! **A**ha. Wer ist mit da**bei**? Ja**ja**.

C: Ich komm **mit**, du. Sag, wo **bist** du?
Ich komm **mit**, du. Sag, wo **bist** du?

A: Ich bin am **See**.   **C:** Mensch, coole I**dee**.

A: Ich bin am **Meer** …

7b

Hören Sie noch einmal. Sprechen Sie (in Gruppen) mit.

8

Wohin am Wochenende? **Schreiben Sie einen Facebook-
Eintrag wie im Beispiel und kommentieren Sie.**   ☿☿

*Jeder schreibt einen Satz und gibt das Blatt weiter.
Der Nächste schreibt einen Kommentar.*

> Hallo Leute, ich möchte am Wochenende einen
> Film sehen. Wer kommt mit ins Kino? (Evi)
>
> ↳ Das ist eine gute Idee. Ich komme mit. (Philip)
>
> ↳ Also, ich habe keine Lust. Ich möchte Fußball
> spielen. (Marvin)

Rad fahren | schwimmen | shoppen gehen | tanzen gehen | …
der Park | das Einkaufszentrum | der Club | der See | …

B | Sportlich durchs Jahr

im Winter

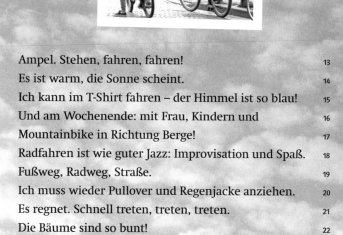
im Frühling

1 Treten, fahren, treten.	Ampel. Stehen, fahren, fahren! 13
2 Och, ist es wieder kalt! Und der Schnee und das Eis …	Es ist warm, die Sonne scheint. 14
3 Treten, fahren, treten.	Ich kann im T-Shirt fahren – der Himmel ist so blau! 15
4 Ich kann die Vögel hören: Sie sind wieder da.	Und am Wochenende: mit Frau, Kindern und 16
5 Aber es ist noch immer kalt am Morgen.	Mountainbike in Richtung Berge! 17
6 Treten, fahren, schauen, so kann ich immer gut nachdenken.	Radfahren ist wie guter Jazz: Improvisation und Spaß. 18
7 Das geht gut auf dem Rad!	Fußweg, Radweg, Straße. 19
8 Die besten Ideen habe ich auf dem Weg zur Arbeit:	Ich muss wieder Pullover und Regenjacke anziehen. 20
9 Mein Kopf ist dann plötzlich voller Ideen!	Es regnet. Schnell treten, treten, treten. 21
10 Und abends auf dem Weg nach Hause,	Die Bäume sind so bunt! 22
11 da kann man so schön träumen.	Treten, fahren, fahren. 23
12 Treten, treten, treten, fahren.	Und ich kann immer weiterfahren. 24

9a *Track 16*

Fahrrad fahren. Sehen Sie die Fotos an und hören Sie den Text.

9b

Lesen Sie den Text. Welcher Abschnitt passt zu welcher Jahreszeit? Notieren Sie passende Wörter und Sätze.

der Winter
der Frühling
der Sommer
der Herbst

9c

Wo sind die Informationen im Text? Geben Sie die Zeile an.

Der Radfahrer …
fährt mit dem Rad zur Arbeit und wieder nach Hause. *8 – 10*
hat auf dem Rad gute Ideen für seine Arbeit.
kann den Frühling hören.
hat eine Familie.
fährt am Samstag oder Sonntag im Sommer gern mit dem Rad in die Berge.
mag Jazz-Musik.
kann nicht mehr im T-Shirt fahren.

9d

Welche Jahreszeit ist jetzt bei Ihnen? Wie ist das Wetter? Sprechen Sie.

Es ist warm / kalt.
Es gibt Schnee / Eis.
Die Sonne scheint. Der Himmel ist blau.
Es regnet.

„*DER HIMMEL IST SO BLAU!*"

im Sommer

im Herbst

10a

Radfahren in Deutschland. Was passt zusammen? Lesen Sie und verbinden Sie.

1. Für viele Leute in Deutschland ist
2. In Deutschland gibt es viele Radwege –
3. Radfahren ist gesund:
4. In Deutschland haben zirka
5. 41 Prozent der Deutschen fahren
6. Pro Jahr fährt man in Deutschland viele Millionen

a. Radfahrer sind fast nie krank.
b. mehrmals pro Woche Rad.
c. Radfahren ein Hobby, aber auch ein Verkehrsmittel.
d. Kilometer Fahrrad.
e. in den Städten und auf dem Land.
f. 71 Millionen Menschen ein Fahrrad zu Hause.

10b

Wie finden Sie die Informationen? Sprechen Sie.

Ich finde das …

In … fährt man auch /
nicht so viel Fahrrad.

überraschend | komisch | interessant | normal | …

11a   *Track 17*   📄 *Seite 33 KB, Seite 109 ÜB*

Im Rhythmus: Hören Sie und lesen Sie. Achten Sie auf R/r.

Zuerst probieren die Lernenden die Wörter Rad und Regen – sie sprechen das R wie ein leises ch. Sie sprechen „auch Regen", „auch Rad".

Fahrrad fahren, **Fahr**rad fahren
im **Früh**ling – wunder**bar**!
Fahrrad fahren, **Fahr**rad fahren
im **Som**mer. Alles **klar**!
Fahrrad fahren, **Fahr**rad fahren
im **Herbst**. Ja, **das** macht **Spaß**!

    Fahrrad fahren, **Fahr**rad fahren
    im **Win**ter. **Toll** ist das!
    Rad fahren, treten, treten, **tre**ten.
    Herrlich! Regen, Sonne, **Schnee**.
    Rad fahren, treten, treten, **tre**ten.
    Musik im **Ohr**, im Kopf **I**deen.

11b

Hören Sie noch einmal. Sprechen Sie mit.

12a

Jahreszeiten und Aktivitäten: Was kann man wann machen?
Sammeln Sie Ideen und schreiben Sie einen Text.   👥👥

Im Frühling: Man kann in die Stadt fahren und einen
                Biergarten besuchen.
Im Sommer: Man kann im Fluss …
Im Herbst: Man kann im Regen …
Im Winter: Man kann …

12b

Präsentieren Sie Ihre Ideen.

📄 *Seite 105 ÜB*

Alles verboten?

13a

Im Park. Was darf man hier nicht? Sprechen Sie.

Man darf nicht _____ .

Fahrrad fahren | joggen | Musik hören | Inliner fahren |
Skateboard fahren | schwimmen | Fußball spielen

13b   *Track 18*

Hören Sie die Dialoge. Welches Schild passt?
Wo hören Sie die Sätze? Verbinden Sie.

Wir dürfen hier nicht weiterfahren.	Situation 1
Hier ist Fußball spielen verboten.	Situation 2
Mama, darf ich schwimmen?	Situation 3
Entschuldigen Sie, Sie dürfen hier nicht …	Situation 4

13c

Wählen Sie ein Schild. Schreiben Sie einen Dialog.

Das dürfen Sie nicht! | Wie bitte? | Ja, aber … | Sehen Sie das
Schild nicht? | Darf man hier … ? | Typisch! | Das ist doch egal! |
Das ist doch kein Problem.

„DAS DARFST DU NICHT!"

14a   *Track 19*   *Seite 33 KB, Seite 109 ÜB*

Ich- und Ach-Laute. Hören Sie und achten Sie auf ch / ch.

A: Ich möchte das, ich möchte das und das da möchte ich noch.
B: Das darfst du nicht! Verboten!
A: Ich mache das, ich mache das und das da mache ich doch.
B: Das darfst du nicht! Verboten!

C: Er darf es nicht, sie darf es nicht. Und du darfst gar nichts mach
B: Nein, nein, das ist verboten.
A: Er darf es doch, sie darf es doch. Und du darfst wirklich lachen.
Alle: Nein, das ist nicht verboten.

14b

Hören Sie noch einmal. Sprechen Sie (in Gruppen) mit.
Sprechen Sie ch fast wie j und ch:

15a

Verboten oder erlaubt? Was denken Sie: Wo sind
die Schilder? Was darf man hier (nicht) machen?

Hier darf man … /
Hier dürfen …

Ich denke, das ist in / an / auf …

15b

Gestalten Sie selbst ein Schild und präsentieren Sie es.

Mehr Bewegung?

Bewegungsprotokoll	Name: *Christian Panters*	Beruf: *Informatiker*	Alter: *24*

Wochentage	Notizen (Aktivitäten, Wetter, Befinden)	
Montag	Zur Arbeit gelaufen / nach Hause gelaufen. Gartenarbeit gemacht. Das Wetter war schlecht! Egal! Im Fitnessstudio trainiert!	
Dienstag	Es war sehr kalt, hat den ganzen Tag geregnet! ☺ War krank: gelesen, geschlafen, gechattet, telefoniert.	
Mittwoch	Zur Arbeit gelaufen — nach Hause gefahren (Bus). Hatte Kopfschmerzen!!	
Donnerstag	Telefoniert, Musik gehört. Es hat nicht mehr geregnet ☺. Spazieren gegangen.	
Freitag	Am Fluss Rad gefahren — super!! Der Himmel war blau! (Aber: Rückenschmerzen!)	
Samstag	Es war nicht so sonnig! War im Wald joggen. (Mit Fenja!) Gartenarbeit gemacht. / Hatte Rückenschmerzen! Salsa getanzt. (Mit Fenja!) ☺	
Sonntag	Hatte ein bisschen Kopfschmerzen. Yoga gemacht.	

16a

Ein Bewegungsprotokoll. **Lesen Sie. Ist die Person sportlich?**

Ich finde, die Person ist

☐ sehr sportlich.   ☐ ein bisschen sportlich.

☐ sportlich.   ☐ nicht sportlich.

16b *Track 20*

Hören Sie. Was erzählt Christian? Im Protokoll ist nicht alles richtig. Korrigieren Sie.

16c *Clip 14*   *Seite 32 KB*

Suchen Sie im Protokoll die Verben im Perfekt und ergänzen Sie haben oder sein.

laufen	*ist*	*gelaufen*
machen		
trainieren	hat	trainiert
lesen		
schlafen		
chatten		
telefonieren	hat	telefoniert
hören		
regnen		
spazieren gehen		
Bus / Rad fahren		
tanzen		

16d

Wählen Sie einen Wochentag: Was hat Christian an diesem Tag gemacht, wie war das Wetter? Schreiben Sie.

Am Montag hatte Christian viel Bewegung. Er ist zur Arbeit und nach Hause gelaufen. Zu Hause hat er Gartenarbeit gemacht. Dann war das Wetter schlecht. Er hat im Fitnessstudio …

17a

Wie sportlich sind Sie? **Was haben Sie gestern gemacht? Machen Sie ein Bewegungsprotokoll.**

17b

Erzählen Sie: Welche Aktivitäten haben Sie gemacht? Wie war das Wetter? Hatten Sie Schmerzen?

Gestern war ich …   Ich habe … Ich bin …

Das Wetter war …   Ich hatte Kopfschmerzen …

„*ICH HABE TRAINIERT.*"

 *Seite 107 ÜB*

REDEMITTEL

Die Natur

der Berg, der Schnee
der Wald, der Baum, die Wiese, der Vogel
der Garten, das Gemüse, das Obst, die Blume
das Meer, der Strand, die Welle, die Muschel
der Fluss, der See, der Fisch

Das Wetter

Es ist (sehr) warm.
Die Sonne scheint.
Der Himmel ist blau.

Es ist (sehr) kalt.
Es regnet. / Es gibt Schnee und Eis.
Der Himmel ist grau.

Das Befinden

Ich habe Kopfschmerzen.
Ich habe Rückenschmerzen.
Ich bin krank. / Ich bin gesund.

Sportarten

Ich mache Yoga und tanze. Du fährst Fahrrad und schwimmst.
Er klettert und surft. Sie joggt und spielt Fußball.
Alle trainieren im Fitnessstudio.

STRUKTUREN

Es gibt + Akkusativ

Es gibt einen Baum / keinen Baum.
Es gibt ein Schiff / kein Schiff.
Es gibt eine Küche / keine Küche.
Es gibt Berge / keine Berge.

in, an, auf + Akkusativ und Dativ Clip 13

	Ich gehe (wohin?)	Ich bin (wo?)
der:	in den Park	im Park
	an den See	am See
	auf den Berg	auf dem Berg
das:	ins Kino	im Kino
	ans Meer	am Meer
	aufs Land	auf dem Land
die:	in die Natur	in der Natur
	an die Tür	an der Tür
	auf die Straße	auf der Straße

in das = ins
an das = ans
auf das = aufs

Das Perfekt Clip 14

Infinitiv	Perfekt: ge___en	ge___(e)t	___iert
trinken	ich habe getrunken		
sehen	ich habe gesehen		
fangen	ich habe gefangen		
singen	ich habe gesungen		
lesen	ich habe gelesen		
bauen		ich habe gebaut	
sagen		ich habe gesagt	
arbeiten		ich habe gearbeitet	
chatten		ich habe gechattet	
machen		ich habe gemacht	
trainieren			ich habe trainiert
telefonieren			ich habe telefoniert

Modalverb dürfen

ich darf
du darfst
er / sie / es darf

wir dürfen
ihr dürft
sie dürfen

Sie dürfen

Modalverb können (Möglichkeit)

Mit dem Fahrrad kann man zur Arbeit fahren, Freunde besuchen, einkaufen, fahren, …

R- Laute *Track 21*

R/r klingt wie ein leises ch in:

Rad, **t**reten, fah**r**en

R klingt wie ein ganz kurzer Vokal (kurzes a) in:

Uh**r**, Winte**r**, e**r**leben

er- und -er werden immer wie ein
ganz kurzer Vokal gesprochen

Ich- und Ach-Laute *Track 22*

Ich-Laut klingt wie ein stimmloses j

ich, spre**ch**en, mö**ch**te, Bü**ch**er, Nä**ch**te, lei**ch**t, eu**ch**, Mil**ch**

Ach-Laut klingt so:

ma**ch**en, do**ch**, Bu**ch**, au**ch**

Alles im Rhythmus *Track 23*

Ich bin am **Meer**.
He, **Freun**de kommt **her**!

Und was **machst** du dort?
Und was **gibt** es dort?

Es gibt Wasser und **Sand**
und es gibt einen **Strand**.

Ich hab ein **Haus** gebaut.
Er hat ein **Haus** gebaut.

Ich hab ein **Schiff** gesehen.
Er hat ein **Schiff** gesehen.

Ich bin aufs **Meer** gefahren.
Er ist aufs **Meer** gefahren.

Ich hab einen **Fisch** gefangen.
Er hat einen **Fisch** gefangen.

Er ist am **Meer**.
Na **los** kommt doch **her**!

08

Wer wohnt hier? Und wie?
Familien, Singles, Paare, … ?
alt, modern, bunt, schön, langweilig, allein, …

Wohnen und leben

A | Wo wohnst du?

fünfhundertsechs
dreihunderteinundfünfzig
eintausend
einhundertneunzig **vierhundertelf**
zweihundertsiebenundvierzig
dreihundertfünfunddreißig

  Track 24

Das sind Preise. Lesen und hören Sie. Was denken Sie:
Was kostet so viel?

ein Hotelzimmer | eine Zweizimmerwohnung | ein Studenten-
zimmer | ein Einfamilienhaus | eine Ferienwohnung

Suchen und schreiben Sie die Zahlen.

190 | 351 | 247 | 1000 | 411 | 335 | 506

einhundertneunzig,

2a

Was kostet ein Studentenzimmer in Deutschland?
Sehen Sie die Karte an und sprechen Sie.

HAMBURG **351,-**
BREMEN **308,-**
BERLIN **321,-**
BOCHUM **290,-**
KÖLN **359,-**
LEIPZIG **251,-**
DRESDEN **247,-**
337,-
FRANKFURT
MÜNCHEN
STUTTGART
306,-
358,-

Ein Zimmer in … kostet …
Das finde ich sehr teuer / teuer / okay /
günstig / sehr günstig.
In … bezahlt man … für ein Zimmer.
Das ist viel / wenig / okay.

2b Track 25

Hören Sie. Wie viel zahlen die Studenten wo? Verbinden Sie.

Finja   Hamburg   318,–
Patrick   München   1.000,–
Tina & Oliver   Köln   431,–
Hannes   Bremen   220,–
Oskar   Leipzig   308,–

2c

Vergleichen Sie: Wo ist die Miete teuer, wo ist sie günstig? 🗣

sehr teuer | teuer | okay | günstig | sehr günstig
Im Norden / im Süden / im Osten / im Westen ist die Miete für ein Zimmer …

> „ZIMMER IN LEIPZIG SIND GÜNSTIG."

3a

Städte in D-A-CH. Welche Zahlen passen zu welchem Begriff? Raten Sie. 🗣

L ....   L ....   L ....

5   8   **194.522**   30   3.720   41   10   **1.750**   4

Universitäten

Theater

Studenten

Einwohner

3   5   28   **1.806**   46   11   3   **2.794**   **79.478**

Kinos

Sonnenstunden pro Jahr

Museen

Supermärkte

Hotels

10   31   **2.129**   **520.838**   **26.772**   14   270   **1.502**   10

3b Track 26

Leipzig, Linz oder Luzern? Welche Zahlen passen zu welcher Stadt? Hören Sie und ergänzen Sie die Städte in 3a.

3c

Hören Sie noch einmal. Überprüfen Sie Ihre Vermutungen.

3d

Wo möchten Sie wohnen? Warum? Erzählen Sie. 🗣

Lernende bilden Gruppen zu den drei Städten, sammeln Argumente und stellen ihre Stadt vor. (Evtl. ergänzen sie auch Informationen aus dem Internet.)

cool | interessant | warm | schön | groß | klein | …
Hotels | Universitäten | Kinos | Theater | Museen | …

Wir möchten in … wohnen. Da gibt es viele … Da ist es …
Das Angebot ist …

Seite 112 ÜB

Wohn(t)räume

4a

Wo kann man wohnen? Sehen Sie die Fotos an und ordnen Sie die Wörter zu.

auf einem Hausboot | in einem Wohnwagen | in einer Wohngemeinschaft (WG) | in einem Leuchtturm |
in einem Baumhaus | auf einem Bauernhof | in Hotelzimmern | auf einer Insel

Hallo Leute!
Einfamilienhaus mit Garten oder Mietwohnung sind doch langweilig.Wie kann man kreativ wohnen? Die besten Antworten:

4b

Lesen Sie. Wo wohnen die Personen? Ergänzen Sie die Wohnorte aus 4a.

1. Hallo, das Thema ist spannend. Ich lebe in einer *Insel* und ich wohne in einem .
   Das ist total toll! Ich kann in alle Richtungen sehen – und überall nur Meer! Grüße von der Nordsee, Tom

2. Hi, ich lebe in einer . Das ist kein Traum … Mein Traum ist Wohnen in einem .
   Da zahle ich keine Miete und meine Nachbarn sind die Vögel. Eure Klettermarie

3. Im Moment lebe ich in der Stadt auf dem Wasser, auf einem *Hausboot* . Aber ich möchte lieber auf dem Land,
   auf einem *Bauernhof* leben: Ich habe viele Tiere, mein Essen kommt aus meinem Garten. Voll romantisch! GK

4. Wir leben seit zwei Monaten in einem *Wohnwagen* . Das ist so spannend. Wir können überall hinfahren und haben
   immer unser Bett dabei und müssen nicht in *Hotelzimmern* wohnen. Heute wachen wir in der Natur auf und morgen
   in der Großstadt … genial! Schmidt-auf-Reisen

4c

Wo möchten Sie wohnen? Schreiben Sie.

Lernende schreiben Texte wie in 4b und hängen sie auf.

Ich möchte in / auf einem / einer …

Da ist es … / Das gibt es …

Ich kann …

„WIR WOHNEN IN EINER WG. "

4d

Was haben die anderen geschrieben? Lesen Sie.

Lernende wählen einen Text aus und suchen die Person,
die ihn geschrieben hat.

A: Möchtest du in / auf … wohnen? Gibt es dort …?
B: Ich möchte in / auf … wohnen. Dort ist es …
Meine Nachbarn …

Seite 113 ÜB

Allein oder mit anderen?

 5a

Wie wohnen die Leute? **Lesen Sie und markieren Sie.**

Frank (42 Jahre)

Anne (32 Jahre)

Lisa (35 Jahre)

Max (20 Jahre)

Ich wohne mit meiner Familie und unserem Hund bei meinem Vater in Saarbrücken. Das ist im Westen von Deutschland. In seinem Haus ist Platz für uns alle und er ist nicht allein.

Ich habe 5 Jahre allein gelebt. Jetzt wohne ich mit meinem Freund zusammen in Linz. Ich bin so glücklich! In unserer Wohnung ist es so schön! Und die Nachbarn sind auch nett.

Ich lebe mit meinen Arbeits-kollegen. Wir müssen beruflich viel reisen. Eine Wohnung brau-chen wir nicht. In unseren Hotel-zimmern gibt es alles, was wir brauchen: ein Bett, eine Dusche, das Internet. Aber manchmal nervt das Kofferpacken.

Ich studiere in München. Die Mieten sind hier teuer. Bei meinen Eltern kostet es nichts und der Kühlschrank ist immer voll. Manchmal ist es aber auch schwie-rig. Ich möchte lieber mit meinen Freunden in einer WG wohnen. Ich bin ja kein Kind mehr.

 5b   Clip 15

Lesen Sie noch einmal und ergänzen Sie die Tabelle.

Lernende füllen Tabelle zunächst alleine aus, vergleichen dann mit dem Partner.

Name	Mit wem?	Bei wem? / Wo?	+++ ☺	--- ☹
Frank	mit seiner Familie und ihrem Hund	bei seinem Vater	Platz für alle	allein
Anne	mit ihrem Freund	in ihrer Wohnung	so schön	
Lisa	mit ihren Arbeitskollegen			
Max	mit nie men	bei seinen Eltern		manchmal schwierig

6a Track 27 Seite 119 ÜB

Im Rhythmus: Hören Sie und lesen Sie. Achten Sie auf die Pausen und auf die betonten Wörter in den Wortgruppen.

A: Ich wohne mit meiner **Frau**, / meinem **Kind**, / meinem **Hund** / und meiner **Maus** ... / in einem **Haus**.
Du wohnst mit deinem **Mann**, / deinem **Sohn**, / deiner **Katze** / und einem **Wurm** ... / auf einem **Turm**.
B: Er wohnt mit seinem **Bru**der, / seiner **Oma**, / seiner **Freun**din / und einem **Reh** ... / in einer w**G**.
Sie wohnt mit ihrem **Freund**, / ihrer **Schwes**ter, / ihrer **Mut**ter / und ihrem **Va**ter ... / in einem The**a**ter.
A: Mein **Hund** / lebt bei meiner **Mut**ter. / Mein **Ka**ter / lebt bei meinem **Va**ter / und mein **Vo**gel / lebt im **Zoo**. / **So**!

6b

Hören Sie und sprechen Sie (in Gruppen) mit.
Sprechen Sie die Wortgruppen so: in einem Haus

6c

Sprechen und variieren Sie.
Reihenübung: Jeder erfindet einen neuen Satz.

7

Partnerinterview: **Wie wohnst du?**
Fragen und antworten Sie.

Wo wohnst du? Was gibt es dort?
Ich wohne in der Stadt / auf dem Land / ...
in einem Haus / in einer Wohnung / ...
Wohnst du allein oder mit anderen?
mit meiner Familie / bei meinen Freunden / ...

ICH WOHNE BEI MEINEM VATER.

 Seite 114 ÜB

B | Wie wohnst du?

der Kühlschrank

der Schreibtisch

der Schrank

der Esstisch

die Lampe

das Kissen / die Decke

der Laptop

1

2

3

8a

**Fenster in D-A-CH. Sehen Sie die Fotos an.
Wie finden Sie die Fenster?**

komisch | interessant | langweilig | schön | hässlich *(ugly)* |
sympathisch | romantisch | kreativ | …

Fenster 1 finde ich …

8b 🔊 *Track 28*

**Was passiert in den Wohnungen? Hören Sie und
markieren Sie die Dinge.**

8c

**Wählen Sie ein Fenster. Was glauben Sie: Was ist wo?
Wie sieht die Wohnung aus? Schreiben und zeichnen Sie.**

Lernende können weitere Wörter mit dem Wörterbuch ergänzen.

das Wohnzimmer: das Sofa, …
das Esszimmer   die Küche
das Schlafzimmer   das Kinderzimmer
das Arbeitszimmer
das Badezimmer

8d

**Stellen Sie die Wohnung vor. Die anderen raten,
zu welchem Fenster die Wohnung passt.**

Das ist das Wohnzimmer / das Schlafzimmer / …
Es ist groß / klein.
Im Wohnzimmer steht / liegt ein/e … / stehen / liegen
zwei/drei …

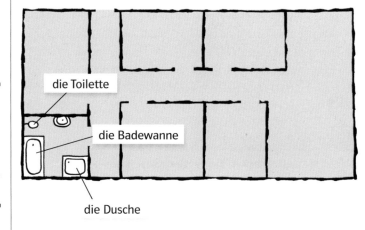

die Toilette

die Badewanne

die Dusche

„DAS IST MEIN WOHNZIMMER."

der Sessel
das Regal -e

4

5

der Fernseher

das Kinderbett

der Teddybär

das iPad

das Sofa

der Stuhl

 9a *Track 29*

Im Rhythmus: Hören Sie und lesen Sie.

Meine Wohnung hat sechs **Zim**mer
und in den sechs Zimmern **le**be ich immer.
Im **Ar**beitszimmer, da **ar**beite ich immer.
Im **Ba**dezimmer, da **ba**de ich immer.
Im **Schlaf**zimmer, da **schla**fe ich immer.
Im **Wohn**zimmer, da **woh**ne ich immer.
Im **Ess**zimmer, da **es**se ich immer.
Und in **ei**nem Zimmer, da ist kein **Licht**.
Da wohne ich **nicht**!

 9b

Hören Sie noch einmal und sprechen Sie mit.

10a

Wer wohnt dort? Wählen Sie ein Fenster und erfinden Sie eine Person. 👥

Nachname	
Vorname	
Alter	
Nationalität	
Beruf	
Interessen	
Adresse	
Straße, Hausnummer	
Stadt / Wohnort	
Land	
Mitbewohner	
Miete	Euro / Franken

PORTRAIT

10b

Stellen Sie Ihre Person und die Wohnung vor. 👥👥

Lernende gehen im Kursraum herum und tauschen sich mit anderen Paaren aus.

Unser/e Bewohner/in heißt … Er / Sie ist … Jahre alt.

Er / Sie wohnt in … mit …

In seinem / ihrem Esszimmer steht …

 Seite 115 ÜB

Lieblingsdinge

 11a

Meine drei Lieblingsdinge. Lesen Sie und ergänzen Sie.

der Fotoapparat | die Kaffeeemaschine | das Kissen

Hallo Leute! Das sind meine drei Lieblingsdinge. Ich brauche sie jeden Tag.

1. Meine _____ : Ich liebe sie. Wirklich! Ohne sie kann ich den Tag nicht beginnen. Am Morgen eine Tasse Kaffee – heiß und stark – das ist perfekt!

2. Mein _____ : Er ist ein Geschenk von einer Freundin. Ich finde ihn ganz toll und nehme ihn jeden Tag mit. In die Uni, in den Park, ins Museum, … Ich fotografiere Menschen, Tiere, Dinge, alles Mögliche.

3. Mein _____ : Ich nehme es auf jede Reise mit. Kissen von anderen Leuten mag ich nicht. Sie sind zu klein, zu groß, zu hart oder zu weich und sie riechen komisch.

Und ihr? Welche Dinge findet ihr wichtig? Schreibt doch mal, was ihr braucht!

11b *Track 30*

„*ICH BRAUCHE ES JEDEN TAG!*"

Hören Sie und raten Sie:
Über welche Dinge sprechen die Personen?

die Pflanze

12a *Track 31* *Seite 45 KB, Seite 119 ÜB*

Starke und schwache Konsonanten. Hören Sie und lesen Sie.

Ich habe sie lieb

Mein Tisch, meine Decke. Ich brauche sie.
Meine Lampe, mein Bett. Ja, ich brauche sie.
Meine Kaffeemaschine, mein Handy, mein Hund.
Mein Stuhl und mein Kissen. Mein Leben ist bunt.
Ich mag die Dinge, ich mag sie so sehr.
Ich brauche sie alle, ja ich brauche sie sehr.

12b

Hören Sie noch einmal und sprechen Sie mit.
Sprechen Sie stark und schwach.

11c

Was ist das? Schreiben Sie.

Ich mache ihn jeden Abend an.   den _____
Ich brauche sie im Sommer und im Winter.   die _____
Ich suche es oft.   das _____

13

Ihr Lieblingsding. Schreiben Sie.
Lernende schreiben 3 Sätze über ihr Lieblingsding und lesen ihre Texte vor. Die anderen raten, um welche Dinge es geht.

Mein Lieblingsding ist ein / eine … Er / Es / Sie ist …
Ich brauche / esse / trinke / … ihn / es / sie (jeden Morgen / …).

11d

Ergänzen Sie die Sätze.

Ein Abend ohne _____ ist furchtbar.
Ohne _____ kann ich nicht schlafen.
Ohne _____ kann ich nicht sein.

Kühlschranknachrichten

14a

Auf dem Kühlschrank. Lesen Sie die Nachrichten.

  Track 32

Hören Sie. Welche Reaktion passt zu welcher Nachricht?
Ordnen Sie zu.

  Clip 16 *Seite 45 KB*

Suchen Sie die Sätze und ergänzen Sie die Tabelle.

ich	Holst du	mich	ab?
du		dich	
er		_____	nicht.
es		_____	nicht finden.
sie	Habt ihr	_____	
wir		_____	bald!
ihr	Ich sehe	_____	
sie		_____	gebraucht.

„*ICH HAB DICH LIEB!*"

14d

Schreiben Sie Kühlschranknachrichten.

Lernende hängen ihre Nachrichten im Kursraum auf, lesen sie und schreiben auf einzelne Antworten.

Ich brauche es

Fragt mich

Wir holen

Ich liebe / mag

Du kennst

Er kauft

Sie isst / trinkt

Das Bad ist schmutzig … Du bist dran. Machst du es HEUTE sauber?

War schön gestern. Ich hab dich so lieb. ♥ Holst du mich im Büro ab?

Wo ist mein Handy? Ich kann es nicht finden. Meine Sonnenbrille ist auch weg. Habt ihr sie gesehen?

Was macht der Hund in unserer Wohnung? Ich mag ihn nicht!

Du suchst deine Decken???

Tschüss und besucht uns bald! Gabi & Andy

Entschuldigung: Ich habe sie gebraucht … Echt!

Bin kurz zu Tom ins Café gegangen. Ich brauche JETZT Kaffee! Ich sehe euch später zum Frühstück.

Seite 117 ÜB

REDEMITTEL

Himmelsrichtungen

im Norden
im Osten
im Süden
im Westen

Über Wohnen sprechen

Ich wohne allein. Du wohnst in einer WG. Er wohnt zusammen mit seiner Freundin. Sie wohnt bei ihren Eltern.
Das Zimmer / Die Miete ist günstig / teuer.
Die Nachbarn sind nett.

Über Lieblingsdinge sprechen

Ich mag meinen Tisch / mein Sofa / meine Lampe. Ich brauche ihn / es / sie. Ohne ihn / es / sie kann ich nicht sein.

Zahlen

100   101   102   110   111   112
(ein)hundert – (ein)hunderteins – (ein)hundertzwei – (ein)hundertzehn – (ein)hundertelf – (ein)hundertzwölf –

120   130   199   200   300
(ein)hundertzwanzig – (ein)hundertdreißig – (ein)hundertneunundneunzig – zweihundert – dreihundert –

999   1000   1001   1010   1020
neunhundertneunundneunzig – (ein)tausend – (ein)tausendeins – (ein)tausendzehn – (ein)tausendzwanzig –

3000   5022   9090
dreitausend – fünftausendzweiundzwanzig – neuntausendneunzig – …

STRUKTUREN

auf / in + Indefinitartikel im Dativ

Ich wohne in einem Wohnwagen | in einem Haus | in einer Wohnung.
auf einem Bauernhof | auf einem Boot | auf einer Insel.

mit / bei / in + Possessivartikel im Dativ   *Clip 15*

Ich wohne mit meinem Freund bei meinen Eltern in ihrem Haus.

	der / das	die	die (Plural)
ich	meinem Freund	meiner Freundin	meinen Freunden
du	deinem Freund	deiner Freundin	deinen Freunden
er / es	seinem Freund	seiner Freundin	seinen Freunden
sie	ihrem Freund	ihrer Freundin	ihren Freunden
wir	unserem Freund	unserer Freundin	unseren Freunden
ihr	eurem Freund	eurer Freundin	euren Freunden
sie	ihrem Freund	ihrer Freundin	ihren Freunden
Sie	Ihrem Haus	Ihrer Freundin	Ihren Freunden

Komposita Verb + Nomen

arbeiten + das Zimmer = das Arbeitszimmer
baden   + das Zimmer = das Badezimmer
schlafen + das Zimmer = das Schlafzimmer
wohnen + das Zimmer = das Wohnzimmer

Verben und Akkusativ Clip 16

Ich habe dich lieb.
Er braucht es jeden Tag.
Sie möchte ihn essen.
Sie fragen mich.
Du holst mich ab.

haben, kaufen, brauchen, bestellen, nehmen, möchten,
essen, trinken, fragen, lieben, kennen, holen + Akkusativ

Personalpronomen im Akkusativ

Nominativ	Akkusativ
ich	mich
du	dich
er	ihn
sie	sie
es	es
wir	uns
ihr	euch
sie	sie
Sie	Sie

Holst du mich ab?   Klar hol ich dich ab.

Starke und schwache Konsonanten (Plosive) Track 33

starke Konsonanten	schwache Konsonanten
t → **T**, **t**, **tt**, -**d** **T**isch, **t**rinken, Be**tt**, un**d**	d → **D**, **d** **D**ecke, **d**u
k → **K**, **k**, **ck**, -**g** **K**issen, **k**aufen, E**ck**e, ma**g**	g → **G**, **g** **G**arten, **g**ern
p → **P**, **p**, **pp**, -**b** **P**arty, Lam**p**e, A**pp**arat, gel**b**	b → **B**, **b** **B**ett, **b**rauchen

b, d, g am Silben- und Wortende wird immer wie p, t, k ausgesprochen (gelb, und, mag)

Akzentuierung und Pausen in Wortgruppenketten

Ich wohne mit meinem **Freund** / bei meinen **El**tern / in ihrem **Haus**.

Wortgruppen werden immer ohne Pause zusammen gesprochen.

Alles im Rhythmus Track 34

A: Wohnst du bei deinen **Freu**nden? Wohnst du in einem **Haus**?
B: Wo **wohnst** du und wie **wohnst** du und wie sieht dein Haus **aus**?
C: Ist die Miete **teu**er? **Güns**tig? Ganz o**kay**?
A: Wohnst du auf einem **Haus**boot? Wohnst du an einem **See**?
B: Hast du **Lieb**lingsdinge? Magst du Hunde **gern**?
C: Gibt es dort auch **Ki**nos? Siehst du lieber **fern**?
D: Ach so viele **Fra**gen! Ich habe keine **Zeit**.
ABC: Na **gut**. Dann nicht. In **Ord**nung. Tut mir **leid**. …

09

Was machen die Personen?
Wo sind sie? Was hören sie?
Wie sind sie?
entspannt, lustig, glücklich, …

Teilen und tauschen

A | Teilen ist Trend

WAS WIR TEILEN ...

der Laptop,
der Computer

das Mobiltelefon

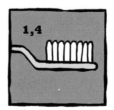

das Bankkonto

die Zahnbürste

die Unterwäsche

die Ideen

das Werkzeug

die Getränke

der Kühlschrank

die Waschmaschine

die Fotos

die Kleidung,
die Schuhe

3,9–4,7 fast alle   **2,8–3,8** viele   **1,7–2,7** wenige   **1–1,7** fast niemand

1a *Track 35*

Teilen in D-A-CH. Hören Sie. Über welche Dinge sprechen die Leute? Suchen Sie sie in der Grafik.

1b

Sehen Sie die Grafik an. Was teilen die Leute gern, was nicht so gern? Wie finden Sie das?

Ich finde das komisch / normal / okay / lustig / …

1c

Ordnen Sie die Wörter in die Tabelle und sprechen Sie.

In 4er Gruppen: Jede Gruppe füllt eine Spalte aus und vergleicht dann mit den anderen.

„EINE ZAHNBÜRSTE TEILEN? DAS GEHT GAR NICHT!"

fast alle (3,9–4,7)	viele (2,8–3,8)	wenige (1,7–2,7)	fast niemand (1–1,7)
Musik (3,9)			

Fast alle teilen gern …
Viele teilen auch gern …
Nur wenige teilen …
Fast niemand teilt …

die Musik

das Wissen

das Essen

die Erfahrungen

die Sportsachen

Geld bis
20 Euro / Franken

die Arbeit

Freunde

der Schmuck

das Auto

das Haus,
die Wohnung

das Passwort

... UND WAS **NICHT**

1d

Was kann man anfassen, was kann man denken?
Sortieren Sie die Wörter.

1e

Pantomime: Wählen Sie ein Wort und spielen Sie es.
Die anderen raten.

Seid ihr ... ? Ist das vielleicht ... ?

2

Gruppenumfrage: Was teilen Sie gern und was nicht?
Fragen und notieren Sie.

*Kurs in Gruppen teilen. Jede Gruppe erstellt eine Rangliste
und präsentiert sie.*

Viele teilen ...

Aber niemand teilt ...

 Seite 122 ÜB

Nur eine Frage

3a

Was teilen die Personen? Lesen und markieren Sie.

Paul (27 Jahre):
Ich habe eine Firma. Mein Büro teile ich mit Kollegen. Das ist kommunikativ und billig.

Vera (23 Jahre):
Ich teile mein Auto. Das ist ökologisch. Wie oft braucht man wirklich sein Auto?

Oli und Mehmet (21 Jahre):
Wir studieren und wohnen in einer WG. Wir teilen fast alles. Das ist praktisch. Wir teilen unsere Wohnung, unseren Hund, unsere Bücher, …

Sven und Sarah (38 Jahre):
Deutsche werfen jedes Jahr sehr viel Essen weg! Das ist nicht korrekt! Auf Partys bleibt oft Essen übrig. Oder man hat zu viel eingekauft. Wir teilen unser Essen. Das ist sozial.

Alex (22 Jahre):
Ich bin Automechaniker und teile mein Werkzeug. Das mache ich gern. Alle Freunde finden das nett.

3b *Clip 17*

Wer teilt was? Ergänzen Sie die Namen und die Nomen.

	teilt **sein** Büro.
	teilt **ihr** Auto.
	teilen **ihre** _____ ,
ihren _____	und **ihre** _____ .
	teilen **ihr** _____ .
	teilt **sein** _____ .

3c

Warum teilen die Personen? Notieren Sie die Argumente.

Teilen ist sozial …

> „ *TEILEN IST ECHT PRAKTISCH.* "

4a *Track 36*

Im Rhythmus: Hören Sie und lesen Sie.

Ich teile, du teilst. – He, hallo, teilt doch mal!
Er teilt und sie teilt. – Ja, Teilen ist so sozial.
Ich teile mein Lachen. – Ja, ja, ich teile gern.
Du teilst deine Zeit. – Ja, Teilen ist so modern.
Er teilt seine Bücher, sein Fahrrad und seinen Hund,
sein Auto, sein Essen. – Ja, Teilen ist so gesund.
Sie teilt ihren Garten, ihr Telefon und ihr Bett.
Ihr teilt euer Leben. – Ja, Teilen ist wirklich nett.
Wir teilen unsere Sprache. – Teilen ist so perfekt.
Wir teilen unseren Rhythmus. – Teilen ist echt korrekt.

4b

Hören Sie noch einmal und sprechen Sie mit.

5a

Und was teilen Sie? Und warum? Sprechen Sie.
Lernende sprechen zuerst zu zweit und fragen dann andere Lernpaare.

Wohnung | Auto | Fernseher | Geld | Hund | Kaffee | Pizza | Freunde | Arbeit | …

Ich teile **meinen** … Und was teilst du? Teilst du auch **deinen** …?

5b

Was teilen die anderen? Fragen Sie.

Wir teilen **unseren** Kaffee. Das ist kommunikativ. Teilt ihr auch **euren** Kaffee?

 Seite 123 ÜB

Unser Auto?

 6a

Ein Gespräch. Sehen Sie das Foto an. Was ist die Situation?
Was glauben Sie: Was sagt der Mann?

Das ist mein …
und das ist …

„*ICH BRAUCHE MEIN AUTO JEDEN TAG.*"

 6b *Track 37*

Hören Sie den Dialog. Vergleichen Sie mit Ihren Ideen.

 6c

Hören Sie noch einmal. Was stimmt, was stimmt nicht?
Kreuzen Sie an und vergleichen Sie.

	stimmt	stimmt nicht
Ben hat drei Geschwister.		
Ben ist verheiratet.		
Ben teilt sein Haus, seinen Garten, seinen Hund.		
Ben braucht sein Auto jeden Tag.		
Ben fährt einen Audi.		
Ben wohnt in der Stadt.		
Ben ist Automechaniker von Beruf.		

 6d *Track 38*

Lesen Sie die Sätze aus dem Dialog. Wer sagt welchen Satz?
Hören Sie und ordnen Sie zu.

Ich habe meine Fotos auf dem iPhone.
Wir teilen unser Elternhaus, unseren Garten, unseren Hund.
Ich habe mein Auto verkauft.
Warum teilt ihr nicht ein Auto?
Wir brauchen unsere Autos jeden Tag.
Teilen wir noch einen Cocktail?

 7a

Welche Dinge sind Ihnen wichtig?
Warum? Diskutieren Sie.

A: Mein … ist wichtig. Ich brauche …
beruflich jeden Tag. Ich wohne …
Ich habe keine Zeit. Ich muss schnell …
Ich liebe …
B: Ich finde das (nicht) wichtig. / Das ist
(nicht) okay. / Für mich ist das (nicht)
normal.

 7b

Präsentieren Sie Ihre Ergebnisse.

 Seite 124 ÜB

B | Geben und nehmen

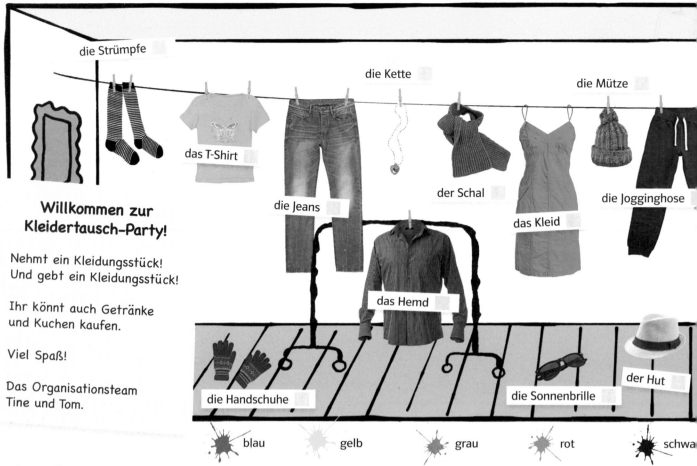

die Strümpfe

die Kette

die Mütze

das T-Shirt

die Jeans

der Schal

die Jogginghose

das Kleid

das Hemd

die Handschuhe

die Sonnenbrille

der Hut

Willkommen zur Kleidertausch-Party!

Nehmt ein Kleidungsstück!
Und gebt ein Kleidungsstück!

Ihr könnt auch Getränke
und Kuchen kaufen.

Viel Spaß!

Das Organisationsteam
Tine und Tom.

blau | gelb | grau | rot | schwa

8a *Track 39*

Auf der Kleidertausch-Party. Von welchen Kleidungsstücken sprechen die Personen? Hören Sie. Markieren Sie.

8b

Lesen Sie die Dialoge. Spielen Sie die Dialoge.

Anne: Mir gefällt der Mantel und die Farbe gefällt mir auch.
Lena: Der Mantel ist ein bisschen altmodisch, aber die Farbe steht dir gut.
Anne: Ja, gelb ist meine Lieblingsfarbe.

Moritz: Wie gefallen dir die Schuhe?
Anne: Gut. Schwarz ist elegant.

Lena: Mir gefällt der Rock. Er ist ganz schick und rosa. Vielleicht passt mir der Rock.
Anne: Mir gefällt der Rock auch. Aber ist er nicht zu kurz?
Moritz: Kurz gefällt mir. Probier doch mal den Rock an!

8c

Spiel: Was gefällt dir? Sprechen Sie.

Reihenübung: Einer sagt einen Satz, der nächste wiederholt den Satz und sagt einen neuen usw.

A: Mir gefällt der Mantel.
B: Dir gefällt der Mantel. Mir gefällt die Hose.
C: Dir gefällt der Mantel. Dir gefällt die Hose.
Mir gefallen die Strümpfe.

8d

Warum gefällt Ihnen das Kleidungsstück? Begründen Sie.

Lernende werfen sich einen Ball zu und fragen sich gegenseitig.

schick | sportlich | elegant | hässlich | langweilig | modern | altmodisch | kurz | lang | eng | weit | cool

A: Warum gefällt dir die Hose?
B: Die Hose ist lang und eng. Das gefällt mir. / Die Hose?
Die Hose gefällt mir gar nicht.
C: Warum gefallen dir die Schuhe?
D: Die Schuhe sind modern und ich mag schwarz.

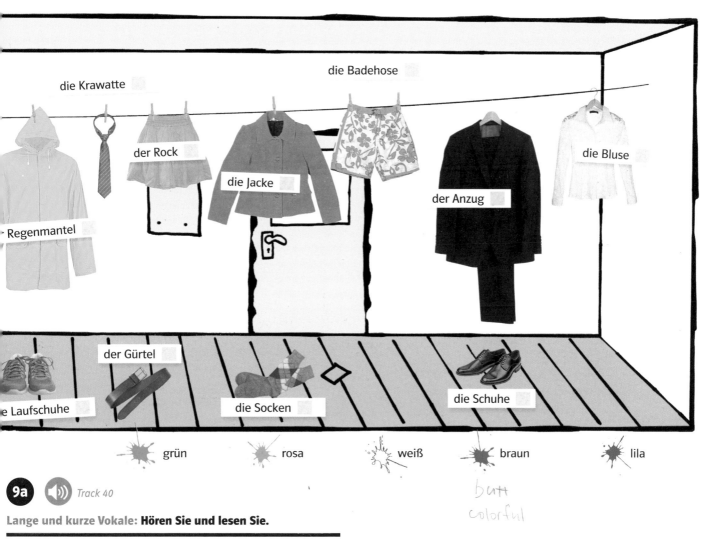

die Krawatte

die Badehose

der Rock

die Jacke

die Bluse

der Anzug

Regenmantel

der Gürtel

die Laufschuhe

die Socken

die Schuhe

grün   rosa   weiß   braun   lila

butt
colorful

 9a   *Track 40*

Lange und kurze Vokale: Hören Sie und lesen Sie.

A: Sag mir, was gefällt dir?

Die Bl**u**se?	**B**: Sie passt mir nicht.
A: Der M**a**ntel?	**B**: Er steht mir nicht.
A: Der R**o**ck?	**B**: Er gefällt mir nicht.
A: Das Sh**i**rt?	**B**: Es passt mir nicht.
A: Die Sch**u**he?	**B**: Sie stehen mir nicht.
A: Die J**a**cke?	**B**: Sie passt mir nicht.
A: Der H**u**t?	**B**: Er gefällt mir nicht.
	Aber da, … das Kl**ei**d!

A: Nein! Das ist meins! Tut mir leid!

> *„DIE HOSE GEFÄLLT MIR. ABER SIE PASST MIR NICHT."*

9b

Hören Sie noch einmal. Markieren Sie die Vokale (fett):
lang __ , kurz .

10

Spiel: Kleidung raten. Was ist es? Beschreiben Sie ein
Kleidungsstück Ihrer Kurskollegen.

Eine Person fängt an. Die anderen raten. Wer richtig rät, macht weiter.

A: Sie ist rot. Sie ist kurz und weit.

B: Ist das die Bluse von …?

9c

Hören Sie noch einmal und sprechen Sie mit.

 Seite 125 ÜB

Ein Netzwerk

11a

Tauschen am Fluss. **Lesen Sie. Was ist das?**
Fassen Sie zusammen.

Tauschen am Fluss ist ▓▓▓▓▓▓▓▓

in ▓▓▓▓▓▓▓▓▓▓ .

Die Idee: Man tauscht ▓▓▓▓▓▓▓▓▓ und

▓▓▓▓▓▓▓ . Es kostet ▓▓▓▓▓▓▓ .

Tauschen am Fluss
Das Netzwerk mit Zeit und Fähigkeiten

Willkommen bei Tauschen am Fluss
Das Netzwerk mit Zeit und Fähigkeiten

Du kannst Fahrräder reparieren? Du kannst Gitarre spielen? Du kannst gut kochen?
Aber du kannst nicht gut Englisch und musst einen Brief auf Englisch schreiben?
Wir helfen dir gern.
Unsere Idee: Jeder kann etwas, jeder weiß etwas. Jeder gibt etwas, jeder nimmt etwas.
Du lernst Leute in Zürich kennen und tauschst Zeit und Fähigkeiten.
Du bezahlst mit Zeit und nicht mit Geld. – Zeit ist „Tauschgeld".

Interessiert? Dann melde dich jetzt an.

11b

Was brauchen die Leute? Und was geben sie? Ergänzen Sie.

Rezepte | Unterricht | kochen | Rückenschmerzen | Gymnastikübungen | Portugiesischstunden | einen Brief

Olivia: ⎱ Ich habe ein neues Computerprogramm. Wer hilft mir?
     ⎰ Hast du ▓▓▓▓▓▓▓▓ ? Ich zeige dir Gymnastikübungen.

Nila: ⎱ Mein Deutsch ist nicht gut. Wer hilft mir? Ich muss ▓▓▓▓▓▓▓▓▓ an die Uni schreiben.
    ⎰ Möchtest du indonesisch ▓▓▓▓▓▓▓ ? Ich zeige dir Rezepte und koche mit dir.

Martina: ⎱ Ich habe Rückenschmerzen. Wer zeigt mir ▓▓▓▓▓▓ ?
       ⎰ Möchtest du dein Deutsch verbessern? Ich bin Lehrerin und gebe dir Deutschunterricht.

Jens: ⎱ Ich möchte nach Brasilien fahren. Wer gibt mir ▓▓▓▓▓▓ ?
    ⎰ Hast du Computerprobleme? Ich helfe dir gern.

Fernando: ⎱ Ich liebe die asiatische Küche. Wer zeigt mir ▓▓▓▓▓▓ und kocht mit mir?
        ⎰ Möchtest du Salsa tanzen? Oder Portugiesisch lernen? Ich gebe dir ▓▓▓▓▓▓ .

„ICH HELFE DIR GERN."

11c

Was glauben Sie: Wer hilft wem? Verbinden Sie die Fotos. 🧑‍🤝‍🧑

11d 🔊 *Track 41*

Hören Sie und kontrollieren Sie.

Fernando
Martina
Nila
Olivia
Jens

12a

Tauschen im Kurs: Was brauchen Sie? Was können Sie geben?
Lernende schreiben je einen Zettel, mit dem was sie suchen und dem, was sie anbieten, und hängen diese auf.

> Ich habe ein Computer-
> problem. Wer hilft mir?
>
>   Ich kann gut fotografieren.
>   Ich gebe dir Tipps.

Ich brauche / suche …   Ich gebe dir Tipps / Unterricht / …
Ich habe …   Ich zeige dir Übungen / Fotos / Rezepte / …
Ich möchte …   Ich helfe dir gern. Ich kann … / Ich habe …

12b

Wählen Sie einen Zettel und schreiben Sie eine Antwort.

A: Hallo, ich habe einen Fotoapparat und kann nicht gut foto-
grafieren. Ich brauche Tipps.
B: Du hast ein Computerproblem.
Ich kann dir helfen.

 Seite 126 ÜB

Ein Märchen

 13a

Hanna im Glück. **Welcher Satz passt zu welchem Bild? Ordnen Sie zu.**

1. Das Kind gibt der Frau die Schuhe.
2. Der Chef schenkt der Frau das Auto.

3. Die Studentin schenkt der Frau den Fotoapparat.
4. Der Freund gibt der Frau das Fahrrad.

13b *Track 42*

Hören Sie das Märchen.

13c *Clip 18* *Seite 56 KB*

Wer schenkt wem was? Hören Sie noch einmal. Ergänzen Sie.

Lernende hören das Märchen in Abschnitten.

„*SIE SCHENKT DEM KIND DAS FAHRRAD.*"

Wer?	schenkt / gibt	Wem?	Was?
Der Chef	schenkt	der Frau	das Auto.
Die Frau	gibt	dem Freund	das Auto
Der Freund	schenkt	der Frau (ihr)	das Fahrrad.
Die Frau	gibt	dem Kind	das Fahrrad
Das Kind	gibt	der Frau	die Schuhe.
Die Studentin	gibt	der Frau	den Fotoapparat.
Die Frau	schenkt	der Studentin	die Schuhe
Die Frau	gibt	den Hunden	die Wurstbrote.

13d

Wie hört das Märchen auf? Lesen Sie drei Möglichkeiten und wählen Sie ein Ende.

a. Zum Schluss fällt der Fotoapparat hinunter und ist kaputt. „Ich habe Glück!" sagt Hanna. „Fotografieren ist dumm. Ich habe nichts gesehen. Ich habe nur fotografiert."
b. Zum Schluss kommt ein Vogel, nimmt den Fotoapparat und fliegt in den blauen Himmel.
c. Zum Schluss stehen alle vor dem Turm, und die Frau macht ein schönes Foto.

13e

Erzählen Sie das Märchen Satz für Satz.

Mit Ball: Einer sagt einen Satz, wirft den Ball, der Nächste macht weiter.

Zuerst schenkt der Chef …

Dann …

Danach …

Zum Schluss …

 Seite 127 ÜB

REDEMITTEL

Meinung äußern

Das ist okay. Aber das geht gar nicht!
Das finde ich wichtig.
Für mich ist das normal.
Ja, klar. Kein Problem.

Über Teilen sprechen

Ich teile mein Büro. Das ist billig und kommunikativ.
Du teilst dein Essen. Das ist sozial und korrekt.
Er teilt seine Wohnung. Das ist praktisch.
Wir teilen unser Auto. Das ist ökologisch und modern.

Farben

Der Himmel ist blau. Die Sonne ist gelb.
Die Wiese ist grün. Der Schnee ist weiß.
Die Nacht ist schwarz. Das Herz ist rot.

Über Kleidung sprechen

Der Mantel ist schick und er passt mir.
Das Kleid ist elegant, aber es ist zu teuer.
Die Hose ist modern und sie steht mir.
Die Schuhe sind cool, aber sie sind zu eng.

Wie gefällt dir der Hut? Wie gefallen dir die Strümpfe?
Das finde ich schön. Das gefällt mir.
Das passt dir nicht. Das steht dir nicht.

STRUKTUREN

Indefinitpronomen

Alle teilen gern Reisetipps und Ideen. Viele teilen auch Musik oder Fotos.
Aber nur wenige teilen gern ihr Mobiltelefon. Und niemand teilt gern die Zahnbürste.

Der Possessivartikel im Akkusativ Clip 17

	der	das	die	die (Plural)
ich teile	meinen Laptop	mein Büro	meine Wohnung	meine Ideen
du teilst	deinen Laptop	dein Büro	deine Wohnung	deine Ideen
er / es teilt	seinen Laptop	sein Büro	seine Wohnung	seine Ideen
sie teilt	ihren Laptop	ihr Büro	ihre Wohnung	ihre Ideen
wir teilen	unseren Laptop	unser Büro	unsere Wohnung	unsere Ideen
ihr teilt	euren Laptop	euer Büro	eure Wohnung	eure Ideen
sie teilen	ihren Laptop	ihr Büro	ihre Wohnung	ihre Ideen
Sie teilen	Ihren Laptop	Ihr Büro	Ihre Wohnung	Ihre Ideen

Der Dativ

Wer? (Nominativ)	der Mann	das Kind	die Frau	die Leute
Wem? (Dativ)	dem Mann	dem Kind	der Frau	den Leuten

Verben mit Dativ

helfen: Du hilfst den Menschen. Wir helfen dir gern.
gefallen: Wie gefällt dir die Tasche? Die Farbe gefällt mir.
passen: Die Hose passt dir nicht, sie ist zu kurz.

Verben mit Dativ und Akkusativ *Clip 18*

geben: Ich gebe dem Mann das Auto.
schenken: Sie schenkt dem Hund das Wurstbrot.
zeigen: Ich zeige dem Kind das Buch.

Alles im Rhythmus *Track 43*

Ich teile **al**les, ja alles **tei**le ich.
Ich gebe **al**les, ja, alles **ge**be ich.
          Das ge**fällt** mir. Das ge**fällt** dir.
Ich teile mein **Au**to, mein **Bett**, meine **Ta**schentücher.
Du teilst deinen **Ku**chen, dein **Brot**, deine **Mär**chenbücher.
          Das ge**fällt** mir. Das ge**fällt** dir.
Er teilt seinen **Kaf**fee, sein **Werk**zeug und seine **Sa**chen.
Sie teilt ihre **Fo**tos, ihr **Fahr**rad und auch ihr **La**chen.
          Das ge**fällt** mir. Das ge**fällt** dir.
Ich gebe **al**les, ja alles **schen**ke ich.
Ich **tei**le alles, ja alles **ge**be ich.
Schenk deinem **Freund** deine **Sa**chen.
Schenk deinem Freund auch dein **La**chen …

10

Was ist das?
ein Brot, eine Torte, ein Turm, ...
Wie finden Sie das?
verrückt, lecker, schön, lustig, ...

Feste und Gäste

Redemittel, Strukturen, Aussprache

A | Wir feiern das Leben

 1a

Auf dem Life Ball. Sehen Sie die Kostüme und Masken an. Wie finden Sie sie?

komisch | verrückt | interessant | fantastisch | bunt | schön | hässlich | cool | langweilig | kreativ

A: Das Kostüm / Die Maske auf Foto ... finde ich ... / sieht ... aus.
B: Ja / Nein, sie ist ... / sieht doch ... aus.

 1b *Track 44*

Hören Sie. Seit wann gibt es den Life Ball? Markieren Sie.

neunzehnhundertneunzig (1990) | neunzehnhundertdreiundneunzig (1993) |
zweitausendzwölf (2012) | zweitausenddreizehn (2013)

 1c

Hören Sie noch einmal. Was ist richtig? Kreuzen Sie an.

	richtig	falsch
Es war der 21. Ball in Berlin.		
Das Motto war 1001 Nacht.		
Die Kostüme waren fantastisch.		
Berühmte Politiker und Künstler waren als Gäste da.		
Roberto Cavalli hat zum ersten Mal seine Kleider gezeigt.		
Man hat zirca 1 Million Euro gesammelt.		

 1d

Lesen Sie den Text. Welche Informationen sind neu?
Markieren Sie und fassen Sie zusammen.

Der Ball findet ... statt. Er ist ... Er hat ... Das Motto ...
Die Kostüme ... Die Gäste ... Es gibt ... Das Geld ...

Life Ball Wien

In Wien gibt es viele Bälle. Aber ein Ball ist besonders: der Life Ball. Er ist eine Charity-Veranstaltung, das Geld – ca. 2 Millionen Euro – geht an HIV- und AIDS-Projekte in Österreich und in die ganze Welt. Seit 1993 findet er jedes Jahr im Frühling statt. Der Ball ist bunt und kreativ. Er hat jedes Jahr ein anderes Motto und viele Gäste tragen Masken und Kostüme. Man muss aber nicht im Kostüm kommen, man kann auch „normale" Ballkleidung tragen. Es gibt auch immer eine Modenschau. Designer wie z.B. Donatella Versace oder Jean Paul Gaultier haben ihre Modelle schon gezeigt. Viele Gäste sind berühmt. Bill Clinton, Sharon Stone, Whoopi Goldberg oder Liza Minelli waren schon da. AIDS geht uns alle an, das will der Organisator zeigen und sagen: Feiern wir das Leben!

2a *Track 45*

Die da? Lesen und hören Sie. Welches Foto passt?

A: Das Kostüm ist cool.
B: Das?
A: Nein, das da. Das Prinzessinnenkostüm.

A: Der sieht ja verrückt aus.
B: Meinst du den?
A: Ja, der mit den Köpfen. Ihh, er ist ganz grün.

A: Schau mal, die da!
B: Das ist ein Mann.
A: Kann sein, vielleicht hast du recht.

2b

Sehen Sie die Fotos an und spielen Sie Dialoge.

A: Der Hut ist ja verrückt.	**A**: Der Mann sieht toll aus.
B: Der?	**B**: Meinst du den?
A: Ja, der!	**A**: Nein, den dort.

das Kleid – elegant | die Maske – interessant |
die Prinzessin – schön | der Schmuck – fantastisch |
das Gesicht – toll geschminkt | die Farben – bunt |
der Prinz – schön | die Köpfe – furchtbar

„DER SIEHT TOLL AUS!"

3a   *Track 46* *Seite 68 KB, Seite 139 ÜB*

Im Rhythmus: Hören Sie und lesen Sie.

A: Schau mal, **die** da! Schau mal, **der** da!
B: Meinst du **die** da? Meinst du **den** da?
A: Ja, **ja**!
B: **Die** sieht schön aus! **Der** sieht toll aus!
C: Der sieht **gut** aus! Die sieht **cool** aus!
A: Und **da**, das **Fo**to. Ach, **schau** doch mal.
B: Das sieht ver**rückt** aus. Ja, **ja**. To**tal**!
C: Und schau mal, **die** da, die mit dem **Hut**!
A: Oh **ja**, fan**tas**tisch! Das ist so **gut**!
B: Und guck mal, **der** da. Der mit der **Maus**!
A: Verrückt und **ko**misch! **So** sieht der aus.
C: Und schau mal, **die** da. Die ist ganz **blau**.
AB: Toll! Super! Wahnsinn! Verrückt! Krass! Wow!

3b

Hören Sie noch einmal. Sprechen Sie (in Gruppen) mit.

4

Ihr Maskenball. Zeichnen oder suchen Sie Masken und
Kostüme im Internet. Kommentieren Sie sie.
Die Lernenden machen eine Ausstellung, gehen herum und kommentieren.

 Seite 132 ÜB

Geburtstag in D-A-CH

Heute ist der …

1.	erste
2.	zweite
3.	dritte
4.	vierte
5.	fünfte
6.	sechste
7.	siebte
8.	achte
9.	neunte
10.	zehnte
11.	elfte
12.	zwölfte
13.	dreizehnte
14.	vierzehnte
15.	fünfzehnte
16.	sechzehnte
17.	siebzehnte
18.	achtzehnte
19.	neunzehnte
20.	zwanzigste
21.	einundzwanzigste
22.	zweiundzwanzigste
23.	dreiundzwanzigste
24.	vierundzwanzigste
25.	fünfundzwanzigste
26.	sechsundzwanzigste
27.	siebenundzwanzigste
28.	achtundzwanzigste
29.	neunundzwanzigste
30.	dreißigste
31.	einunddreißigste

 5a

Welcher Tag ist heute? Lesen Sie den Kalender und verbinden Sie.

Der sechsundzwanzigste Mai   ist ein Samstag.
Der einunddreißigste Mai   ist ein Feiertag. Da muss ich nicht arbeiten.
Der erste Juni   ist ein Montag.
Der neunundzwanzigste Mai   ist ein Sonntag und Lennart hat Geburtstag!

Mo	Di	Mi	Do	Fr	Sa	So
26	**27**	**28**	**29** Feiertag	**30**	**31**	**1**
			frei!			Geburtstag Lennart

KW 22 **Mai / Juni**

Geburtstagskalender

Februar	März	April	Mai	Juni
	3. März Alex	5. April Hr. Gruber	9. Mai Fr. Maier	1. Juni Mia

Juli	August	September	Oktober	November	Dezember
16. Juli Gerda		29. Sept. Jens	26. Okt. Namenstag Dimitri		24. Dez. Chef

 5b

Sprechen Sie.

Heute ist der … / Gestern war der … / Morgen ist der … /
Am Sonntag war der …

 6a *Track 47*

Geburtstage. Hören Sie. Welche Geburtstage hören Sie?
Markieren Sie im Geburtstagskalender.

6b *Clip 19*

Ergänzen Sie die Sätze.

Frau Maier hat am neunten Mai Geburtstag.
Mia ist am ersten _____ 1981 geboren.
Alex hat am _____ März Geburtstag.
Herr Gruber _____ .
Jens _____ .
Dimitri _____ .

6c

Wann sind Sie geboren? Sprechen Sie.
Reihenübung: Jeder sagt einen Satz.

Ich bin am … geboren. / Ich habe am … Geburtstag.

 7a

Geburtstag feiern. Lesen Sie und ordnen Sie die Tipps zu.

1. Nimm genug Geld mit. | 2. Back selbst einen Kuchen. |
3. Gratuliere nie einen Tag zu früh. | 4. Wähl das Geschenk gut aus.

Geburtstag in Deutschland

14. Februar 2014 – 16:54 – 0 Comments by Luíz de Carvalho

Den Geburtstag feiert man auf der ganzen Welt ähnlich.
In Deutschland sind aber ein paar Sachen anders:

☐ Das bringt Unglück. Ein Tag danach ist kein Problem.
☐ Zum Geburtstag bringt man Kuchen für Freunde und Kollegen mit.
☐ Viele machen die Geschenke auch selbst oder man schreibt eine Geburtstagskarte.
☐ Der Geburtstag ist teuer. Das Geburtstagskind bezahlt die Getränke und das Essen.

7b

Wie feiern Sie Geburtstag / Namenstag? Was ist typisch?
Schreiben Sie einen Blogeintrag.

 Seite 133 ÜB

Eine Geburtstagsparty

8a

Hallo meine Lieben. **Lesen Sie und kreuzen Sie an. Was passt?**

	Text A	Text B	Text C
Einladung			
Entschuldigung			
Danke			

A Geburtstagsfeier

von: Barbara Maas

am: Freitag, 31. Januar, um: 20.00 Uhr

im: Café Prima, Gartengasse 25

Hallo, meine Lieben!
Am 31. Januar werde ich 30! Das möchte ich feiern.
Ich habe alles organisiert, ihr müsst nur kommen.
Eure Partner sind natürlich auch herzlich eingeladen.
Das Motto für den Abend: Die neunziger Jahre.
Kommt also bitte im Kostüm und / oder mit Maske!

Bis bald.
Eure Barbara

B Hallo, meine Lieben!
Danke! Das Fest war soooo lustig.
Eure Kostüme waren total hübsch.
Danke für die tollen Geschenke.
Einen Ordner mit den Fotos findet ihr
auf Dropbox, bitte ladet auch eure
Fotos hoch.
Alles Liebe,
Barbara

8b

Lesen Sie Text A und markieren Sie die Antworten im Text.

Wer macht eine Party?
Was feiert Barbara?
Wann feiert sie?
Wo feiert sie?
Wie alt ist Barbara?
Was ist das Motto?

8c

Lesen Sie die Texte B und C und schreiben Sie eine Antwort.

Die Party war cool!	Das tut mir leid.
Bitte nicht das Foto!	Du hast gefehlt.
Noch mal: Alles Gute!	Werde schnell gesund!
…	…

C Liebe Barbara,
erst mal herzlichen Glückwunsch zum
Geburtstag!
Es ist so schade! Ich kann leider heute
Abend nicht kommen. Ich bin krank.
Alles Liebe und viel Spaß,
Henny

9a

Ihr Text. **Schreiben Sie eine Einladung.**

Lernende schreiben Einladungen und verteilen sie im Kurs.

Was? Wer? Wann? Wo?

> Liebe Freunde,
>
> am …
>
> Das möchte ich feiern.

9b

Schreiben Sie eine Antwort.

Ich komme gern. Danke für die Einladung.
Ich kann leider nicht …

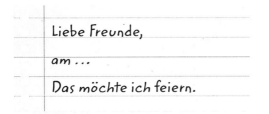

„ALLES GUTE!"

 Seite 134 ÜB

B | Kochen und feiern

 10a

Sehen Sie das Foto an. Was glauben Sie: Was ist richtig? Kreuzen Sie an.

1. Die Personen auf dem Foto sind Jugendliche (15 bis 20 Jahre alt).
2. Die Leute auf dem Foto sind gute Freunde.
3. Sie essen zusammen zu Abend.
4. Das Treffen findet in einer Privatwohnung statt.   *anbieten*
5. Die Atmosphäre ist nicht so nett.   *eingeben*

 10b

Lesen Sie den Text. Überprüfen Sie Ihre Vermutungen.

 10c

austauschen

Finden Sie einen passenden Titel für Foto und Text.

Kochen, essen, Leute …
Ein Abendessen für …
Vorspeise, Hauptspeise und …
Hopping Dinner ist …

„*MAN VERGISST DIE ZEIT!*"

ZÜRICH. Die Organisation Hopping Dinnner bietet in Zürich mit viel Erfolg Koch-Partys an. Das Angebot: Man gibt seine Daten auf der Website ein und bekommt einen Kochpartner für ein Abendessen. Gemeinsam kocht man in einer Privatwohnung eine Vorspeise, eine Hauptspeise oder ein Dessert. Am Abend kommen vier andere Personen in die Wohnung. Man sitzt zusammen am Tisch, isst, trinkt und redet. Für jede Speise geht man in eine andere Wohnung und lernt neue Leute kennen. Am Ende gehen alle in ein Lokal und haben Spaß bis spät in die Nacht. Man lacht, erzählt, tauscht Rezepte und Telefonnummern aus und vergisst die Zeit …

Kosten pro Person: 15 bis 20 Franken.
Zielgruppe: Erwachsene ab 18 Jahren.

www.hoppingdinner.com

Clip 20

10d

Lesen Sie die Kommentare und sortieren Sie die Verben.

Die Organisation bietet Koch-Partys an, toll!

Man gibt seine Daten auf der Website ein? Auch die Telefonnummer? Das möchte ich nicht machen.

Man bekommt einen Kochpartner für ein Abendessen. Das ist komisch, oder?

Später im Lokal vergisst man die Zeit! Das ist sicher super nett!

Man erzählt anderen Leuten viele Dinge! Ist das nicht ein bisschen gefährlich?

Am Ende tauscht man Telefonnummern aus. Dann kann man die Leute wieder treffen – schön!

trennbare Verben ✂	nicht trennbare Verben ✂
anbieten,	bekommen,

10e

Wie finden Sie die Idee? Sprechen Sie.

Die Idee finde ich …

Ich muss mich im Internet anmelden: Das ist … !

Ich bekomme einen Kochpartner oder eine Kochpartnerin?

Das finde ich …

11a *Track 48* *Seite 69 KB, Seite 139 ÜB*

Im Rhythmus: Hören Sie und lesen Sie.

Freunde besuchen.
Das ist ankommen, begrüßen, hinsetzen, essen,
kochen, erzählen, die Zeit vergessen.
Man erzählt, man genießt, man bekommt so viel.
Man schaut Fotos an. Man beginnt ein Spiel.
Ich komme an, es ist schön. Ich erzähle. – Es gefällt dir.
Du kommst an, es ist toll. Du erzählst. – Es gefällt mir.
Man feiert, tauscht Fotos aus, trinkt, isst und lacht.
Vielen Dank, Freunde! Es hat Spaß gemacht.
Aber morgen, Freunde, da lade ich euch ein.
Ja, zu meiner Party, da lade ich euch ein.

11b

Hören Sie noch einmal. Sprechen Sie mit.

12a

Planen Sie Ihre Kochparty.

Füllen Sie das Online-Anmeldeformular aus.

Vorname:

Name:

E-Mail:

Handynummer:

Straße, Nummer:

Postleitzahl: Ort:

Alter: Anmeldung für das Wunschdatum:

Meine Wohnung ist okay für [ ] Personen.

Ich esse:
○ Fleisch   ○ Fisch   ○ nur vegetarisch

Das möchte ich kochen:
○ Vorspeise   ○ Hauptspeise   ○ Dessert

Ich möchte gern kochen mit …
○ Mann   ○ Frau   ○ egal

Hobbys / Job:

[absenden]

12b

Tauschen Sie Ihre Anmeldeformulare aus und erzählen Sie.

Er / Sie heißt … und wohnt in … Seine / Ihre Wohnung ist …

Er / Sie möchte gern am … mit mir zusammen kochen.

Er / Sie isst … Seine / Ihre Hobbys sind …

 Seite 135 ÜB

Guten Appetit!

13

Das war lecker. Sehen Sie das Foto an. Was haben die Leute gegessen und getrunken? Erzählen Sie.

Sie haben Weißwein, …
getrunken.

Vielleicht haben
sie auch …

Ich denke, sie haben … gegessen.

14a

Beim Essen. Lesen Sie. In welchen Sätzen geht es nicht um Essen oder Trinken? Markieren Sie.

1. Prost!
2. Für mich bitte noch ein Glas Wasser!
✗ 3. Was arbeitest du?
4. Ich habe so einen Hunger!
5. Möchtest du einen Kaffee?
✗ 6. Hast du Kinder?
✗ 7. Wo wohnst du?
8. Mmh! Das sieht lecker aus!
9. Ich trinke keinen Alkohol – hast du vielleicht einen Saft?
✗ 10. Und was machst du so?
11. Was möchtest du trinken?
12. Ja, gern mit Milch und Zucker.
✗ 13. Machst du Sport?
✗ 14. Wo kann ich hier bitte rauchen? ⟵smoke
✗ 15. Hast du auch das Buch gelesen?
16. Guten Appetit!
✗ 17. Heute ist es wieder kalt!
✗ 18. Ja, und jetzt regnet es …

„WAS MACHST DU SO?"

14b

Ordnen Sie die markierten Sätze den Themen zu.

Arbeit   Freizeit   Persönliches   Wetter

14c *Track 49*

Hören Sie. Welche Sätze aus 14a hören Sie? Notieren Sie.

14d

Überlegen Sie sich Antworten zu den Fragen. Sammeln Sie im Kurs.

A: Machst du Sport?   **B:** Ja, ich …
A: Wo kann ich bitte rauchen?   **B:** Du kannst …

15a

Ihr Essen. Planen Sie eine Szene. Machen Sie Notizen.

15b

Spielen Sie die Szene (mit Gestik und Mimik) vor.

Wo sind Sie? Im Restaurant / in der Wohnung von … / …
Was essen Sie? Was trinken Sie?
Was sagen und fragen Sie? Was erzählen Sie?

 *Seite 136 ÜB*

Es war schön!

 16a

Am Tag danach. Lesen Sie die Nachrichten.
Welcher Satz passt zu welcher Nachricht? Ordnen Sie zu.

a. Er hat Stress, **denn** er muss noch alles aufräumen.
b. Sie hat heute Kopfschmerzen, **denn** sie hat zu wenig
   geschlafen.
c. Sie hat heute Bauchschmerzen, **denn** sie hat zu viel gegessen.
d. Die Party war sicher lustig, **denn** sie plant schon wieder
   eine Party.

„DANKE FÜR ALLES!"

 16b *Seite 69 KB*

Warum machen Sie (keine) Partys?
Warum gehen Sie (nicht so) gern auf Partys? Sprechen Sie.

Kettenübung: Jeder sagt einen Satz.

1 Oje, mir geht's heute gar nicht gut … Mein Bauch tut so weh! Ich habe gestern wohl zu viel gegessen! Aber es war sooo gut!! Danke nochmal für den netten Abend! Flora

2 Es war wirklich schön gestern! Aber heute Morgen … Alles ist schmutzig und ich muss aufräumen. Wer hilft mir? Andi

3 *Einladung*
War doch super, gestern, oder? Die nächste Party mache ich!!! Am Samstag bei mir zu Hause. Ist das für alle okay? Bitte antwortet schnell, dann organisiere ich alles! Roxi

4 Guten Morgen! Mir geht´s heute nicht so gut – Fotos sagen mehr als tausend Worte! Mein Kopf tut so weh … Ich bin zu spät ins Bett … Aber es war so lustig! Danke für alles! Liv

Ich mache gern / nicht so gern Partys, denn …

Ich gehe (nicht so) gern auf Partys, denn …

ich mag keine laute Musik | ich habe kein Geld | ich kann nicht tanzen |
in der Wohnung ist dann alles schmutzig | man trifft da nie interessante Leute |
ich feiere lieber mit meiner Familie | ich treffe meine Freunde lieber im
Restaurant | ich koche lieber für meine Freunde | am nächsten Tag habe ich
immer Kopfschmerzen

 17a *Track 50*

Ein Partysong. Hören Sie das Lied.

```
Alle stehen um den Tisch,
es gibt Gemüse, Reis und Fisch.
He, du siehst gut aus, he, du bist nett.
Ich frag dich - ich glaub, ich mag dich!
```

```
Es ist schon spät, aber niemand will gehen.
Ich bin schon müde, aber ich bleibe noch,
ich bin so müde, aber ich mag dich doch.
Die Nacht ist lang und wir feiern noch!
Alle haben Spaß und jeder lacht.
Aber hey - ich muss doch zur Arbeit um acht.
```

```
Hanna macht 'ne Party und alle kommen.
Guck mal, das da, das sieht lecker aus!
Guck mal die da, die sieht cool aus.
Guck mal den da, der sieht gut aus.
```

```
Das Essen ist super und die Leute sind nett.
Die Musik ist genial und die Stimmung total perfekt.
Mensch, das ist cool hier, das ist einfach genial!
Wir feiern heute und morgen gleich noch einmal.
```

 17b

Hören Sie das Lied noch einmal. Ordnen Sie die Strophen
und markieren Sie den Refrain.

 17c

Hören Sie das Lied und singen Sie mit.

 Seite 137 ÜB

REDEMITTEL

Ordinalzahlen

der … Mai

1. 2. 3. 4. 5. 6. 7. 8. 9. 10. 11. 12. 13. 14. 15.
erste, zweite, dritte, vierte, fünfte, sechste, siebte, achte, neunte, zehnte, elfte, zwölfte, dreizehnte, vierzehnte, fünfzehnte,

16. 17. 18. 19. 20. 25. 30. 31.
sechzehnte, siebzehnte, achtzehnte, neunzehnte, zwanzigste, fünfundzwanzigste, dreißigste, einunddreißigste

Monate

der Januar, der Februar, der März, der April, der Mai,
der Juni, der Juli, der August, der September, der Oktober,
der November, der Dezember

Datum Clip 19

Heute ist der zehnte Mai.
Heute ist der zehnte Fünfte.
Ich bin am zehnten Mai geboren.
Du hast am zwanzigsten Geburtstag.

Geburtstag

Herzlichen Glückwunsch! Alles Gute! Alles Liebe!
Wann hast du Geburtstag? Ich habe am dritten Februar
Geburtstag.
Ich bin 1988 geboren. Und wann bist du geboren?

Smalltalk beim Essen

Guten Appetit! Prost! Auf uns! Auf die Liebe!
Heute ist das Wetter schön. / Das Wetter ist wieder schlecht.
Wo kann ich bitte rauchen?
Und was machst du so? Machst du Sport?
Hast du das Buch schon gelesen?
Hast du den Film schon gesehen?

STRUKTUREN

Demonstrativpronomen

Nominativ	der Mann – der	das Kostüm – das	die Maske – die	die Farben – die
Akkusativ	den Mann – den	das Kostüm – das	die Maske – die	die Farben – die

Der ist verrückt.	Das ist toll.	Die ist schön.	Die sind bunt.
Wer?	Was?	Wer? Die Frau?	Die Farben?
Ich meine den Mann mit der Maske.	Das Kostüm.	Nein, die Maske.	Ja.

AUSSPRACHE

Satzakzent

Schau mal **der** da. Der mit der **Mas**ke. Der sieht **toll** aus.

> Wir betonen
> Wichtiges und / oder
> Neues im Satz.

Trennbare und nicht trennbare Verben Clip 20

trennbare Verben ✂	nicht trennbare Verben ✂
eingeben, austauschen, anbieten	bekommen, besuchen, erzählen, vergessen
ich gebe **ein**, ich tausche **aus**, ich biete **an**	ich **be**komme, ich **be**suche, ich **er**zähle, ich **ver**gesse

Wortakzent in trennbaren und nicht trennbaren Verben Track 51

trennbare Verben ✂	nicht trennbare Verben ✂
ankommen – ich komme **a**n	bek**o**mmen – ich bek**o**mme
austauschen – ich tausche **au**s	gen**ie**ßen – ich gen**ie**ße
w**e**ggehen – ich gehe w**e**g	verg**e**ssen – ich verg**e**sse

> *Achtung: Die Präfixe be-, ge-, ver-, er- sind immer unbetont.*

Sätze verbinden: denn

0	1	2	3, 4, 5, ...
	Ich	mache	eine Party,
denn	ich	feiere	gern.

Alles im Rhythmus Track 52

Ich **mach** keine Party, denn ich hab kein **Geld**.
  Schau mal **der** da, der hat ja gar kein **Geld**.

Ich **mach** keine Party, denn ich hab kein **Kleid**.
  Schau mal **die** da, die hat ja gar kein **Kleid**.

Ich **mach** keine Reise, denn ich habe **Kopf**weh.
  Guck mal **der** da, der hat ja immer **Kopf**weh.

Ich **mach** keine Reise, denn ich bin so **mü**de.
  Guck mal **die** da, die ist ja immer **mü**de.

Wir machen **gar** nichts, denn wir bleiben zu **Hau**se.
  Okay, **Pau**se!

A

2 Ostern ist ein christliches Fest im Frühling. Die Familie kommt zusammen. Der „Osterhase" bringt den Kindern Süßigkeiten und versteckt sie im Garten oder in der Wohnung. Die Kinder suchen am Morgen die Ostereier und den Schokoladenhasen.

1 Silvester: Am Silvesterabend (31.12.) finden überall Partys und Silvesterbälle statt. Viele feiern auch mit der Familie oder mit Freunden bei einem Essen. Man macht oft ein Fondue, spielt und ist lustig. Um Mitternacht gibt es ein Feuerwerk und alle trinken Sekt. Man geht herum und wünscht sich ein frohes neues Jahr.

B

Feste feiern in D-A-CH. **Welche Texte passen zu welchen Bildern? Ordnen Sie zu.**

C

Lesen Sie die Texte noch einmal und markieren Sie die Schlüsselwörter.

Ergänzen Sie die Lücken.

A	B	C	D	E	F
Der 24.12. abends ist ░░░░░. Man feiert mit der Familie mit Tannenbaum, Kerzen, ░░░░, ░░░░░ und einem Festessen.	Am ░░░░░ finden überall Partys und ░░░░ statt. Um Mitternacht gibt es ein ░░░░.	Sechs Wochen vor Ostern feiern viele Leute ░░░░. Im Süden, Österreich und in der Schweiz heißt das Fest ░░░░.	Vom 1. bis zum 24.12. machen die Kinder jeden Tag eine Tür vom ░░░░ auf. Und am Sonntag macht man am ░░░░ die Kerzen an.	Ende März oder im April ist ░░░░. Der ░░░░ kommt und bringt ░░░░ und einen Schokoladenhasen.	Am 5.12. geht der ░░░░ von Haus zu Haus und gibt ░░░░, Nüsse und ░░░░ in die Schuhe.

Feiern Sie die Feste und Traditionen auch? Welche feiern Sie nicht?
Was ist bei Ihnen anders? Sprechen Sie.

3 Am 6. Dezember feiert man **Nikolaus**. Der Nikolaus verteilt Geschenke. Sein Mantel ist rot und er hat einen weißen Bart. Die Familien stellen am 5.12. abends ihre Schuhe vor die Haustür. Am 6. Dezember sind Äpfel, Nüsse und Schokolade darin.

4 **Weihnachten** ist ein wichtiges Familienfest in D-A-CH-L. Man feiert am Heiligabend, also abends am 24. Dezember, mit einem Tannenbaum, Kerzen, Geschenken, Weihnachtsliedern und einem Festessen. Viele Christen gehen in die Kirche. Der 25. und 26.12. sind Weihnachtsfeiertage.

5 **Karneval** ist die verrückte Zeit im Jahr. In Köln und Mainz sagt man Karneval, in Süddeutschland, Österreich und der Schweiz Fasching oder Fastnacht. Sechs Wochen vor Ostern feiern die Leute mit Umzügen, Musik, Partys und Bällen. Die Leute sind lustig und tragen tolle Kostüme und Masken.

6 Vier Wochen vor Weihnachten beginnt der **Advent**. Vom 1. bis zum 24. Dezember öffnen die Kinder jeden Tag eine Tür von ihrem Adventskalender. Es gibt Weihnachtsgebäck und einen Adventskranz mit vier Kerzen. Jeden Sonntag macht man eine neue Kerze an.

2a

Ihr Festkalender. Welche Feste feiern Sie noch in Ihrem Land, in Ihrer Familie? Wie feiern Sie? Sammeln Sie. 🧍🧍

2b

Tauschen Sie sich über Ihre Feste und Traditionen aus. 🧍🧍🧍

2c

Machen Sie einen Festkalender. Tragen Sie Ihre Feste, die D-A-CH-Feste und internationale Feste in einen Festkalender ein.

internationale Feste: Yom Kippur, Chinesisches Neujahrsfest, Zuckerfest, ...

Reisen Sie durch Deutschland, Österreich und die Schweiz und lernen Sie Menschen kennen.

Berlin *Film 6*

a. Sehen Sie Sylvia aus Berlin. Welche Orte sehen Sie im Film? Kreuzen Sie an.

- das Brandenburger Tor
- der Fernsehturm
- der Strausberger Platz
- der Potsdamer Platz
- die Gedenkstätte Berliner Mauer

b. Sehen Sie den Film noch einmal. Was sagt Sylvia, was sagt sie nicht? Kreuzen Sie an.

	Das sagt sie.	Das sagt sie nicht.
Sylvia kommt aus Ost-Berlin.	☒	
Sylvia hat in Ost-Berlin studiert.	☒	
Am Strausberger Platz hat sie gewohnt.	☒	☒
Sylvia ist im Oktober 1989 zum ersten Mal durch das Brandenburger Tor gelaufen.	☒	
Heute liegt das Brandenburger Tor im Herzen der Stadt.	☒	☒

Gesundheit *Film 7*

a. Sehen Sie Eva aus Tübingen. Mit wem arbeitet sie? Schreiben Sie.

„Ich arbeite mit Menschen mit _____ , _____ ."

b. Sehen Sie den Film noch einmal. Was fragt Eva? Kreuzen Sie an.

	Das fragt sie.	Das fragt sie nicht.
Was machen Sie denn beruflich?	☒	☒
Tut das weh?	☒	☒
Haben Sie Rückenschmerzen?	☒	☒
Auf welcher Seite tut es Ihnen denn weh?	☒	☒
Ist das angenehm für Sie?	☒	☒
Wie oft machen Sie Sport?	☒	☒
Machen Sie auch Sport?	☒	☒

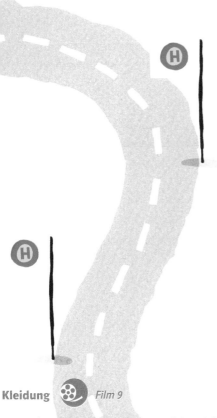

Wohnen *Film 8*

a. Sehen Sie Markus aus Köln. Was sagt er? Und was sagt er nicht? Kreuzen Sie an.

	Das sagt er.	Das sagt er nicht.
Ich wohne in Engelskirchen.		
Ungefähr 50 km entfernt von Köln.		
Auf dem Land.		
Hier ist es sehr schön grün.		
Und es gibt viele Wiesen.		
Das ist mein Haus. Es ist ein altes Fachwerkhaus.		

**b. Sehen Sie den Film noch einmal. Wo sind die Zimmer?
Schreiben Sie die Wörter in das Haus.**

das Wohnzimmer | das Kinderzimmer | das Badezimmer |
das Schlafzimmer | das Arbeitszimmer | der Weinkeller |
die Küche | der begehbare Kleiderschrank

Kleidung *Film 9*

**a. Das ist Tim aus Frankfurt. Welche Kleidungsstücke sehen Sie?
Kreuzen Sie an.**

Kleider	Pullover	Anzüge	Hemden
Krawatten	Schuhe	T-Shirts	Schals

**b. Lesen Sie. Wie ist der Dialog? Sehen Sie den Film noch einmal.
Nummerieren Sie die Sätze.**

1 Wie kann ich Ihnen helfen?
8 Ja, mach das mal.
　 Schauen Sie sich gern um.
　 Wir suchen einen Anzug für
　 meinen Sohn.
　 Wie findest du den?
　 Den finde ich auch klasse.
　 Den würde ich gerne haben.
　 Na, wenn ich ganz ehrlich bin, richtig
　 passen tut der nicht, oder?
　 Den finde ich sehr gut. Gefällt mir.
　 Ja, das stimmt. Soll ich vielleicht den
　 anderen noch mal anprobieren?
　 Wie findest du den?
　 Danke.
　 Okay.

Feste 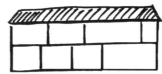 *Film 10*

**a. Sehen Sie Leonie aus Luzern in der Schweiz.
Wie heißt das Fest im Film? Markieren Sie.**

Geburtstag | Fasnacht | Karneval

b. Sehen Sie den Film noch einmal. Was ist richtig? Kreuzen Sie an.

	richtig	falsch
Leonies Kostüm ist grün.		
Alle Kostüme in Luzern sehen gleich aus.		
Man hört viel Musik.		
Leonie macht Musik.		
Bei dem Fest laufen die Leute in Gruppen durch die Stadt.		
Viele Leute tragen Masken.		

Film 6

Sylvia: Ursprünglich komme ich aus Ost-Berlin. Hier in diesem Haus am Strausberger Platz habe ich gewohnt.
Dort bin ich in den Kindergarten gegangen. Das war das Haus des Kindes und unten war der Kindergarten und da drunter ein Puppentheater.
Dort hinten bin ich in die Schule gegangen. Aber studiert habe ich dann in West-Berlin. Und wie ich nach West-Berlin gekommen bin, das ist eine ganz andere Geschichte.

Silvester 1989. Damals bin ich das erste Mal durch das Brandenburger Tor durchgelaufen. Vorher konnte man es nur sehen, entweder vom Osten oder vom Westen. Denn es war komplett gesperrt.
Plötzlich steht das Brandenburger Tor wieder dort, wo es hingehört – im Herzen von Berlin, mitten in der Stadt. Das ist kein Traum und das macht mich immer noch glücklich.

Film 7

Moderatorin: Was arbeiten Sie denn?
Eva: Ich bin Physiotherapeutin.
Moderatorin: Und was macht man als Physiotherapeutin?
Eva: Ah, ich arbeite mit Menschen, mit jungen, mit alten, Menschen mit Rückenschmerzen und mit Nackenschmerzen.

Eva: Auf welcher Seite tut es Ihnen denn weh?
Patientin: Auf der linken Seite.
Eva: Ähm. Versuchen Sie doch mal, den Arm nach oben zu heben. Wann fängt es an?
Patientin: Hier. Jetzt geht's ganz, ganz schlecht.
Eva: Dürfen Sie langsam wieder ablegen. Gut, ich werde jetzt ein bisschen Ihre Schulter massieren. Wenn es wehtut, sagen Sie es bitte.
Patientin: Ja.
Eva: Ist das angenehm für Sie?
Patientin: Das ist sehr angenehm. Hm, und das riecht so gut.
Eva: Was machen Sie denn beruflich?
Patientin: Ich bin Sekretärin und sitze viel am Computer und telefoniere, Termine ausmachen … Viel Stress!
Eva: Machen Sie auch Sport?
Patientin: Oh, nee, eigentlich nicht. Also ich gehe am Wochenende mal spazieren oder mal schwimmen …
Eva: Das ist ein bisschen wenig. Na, Sie wissen ja, es ist wichtig, den Körper zu bewegen. Ist gut gegen Stress!

Film 8

Markus: Ich wohne in Engelskirchen. Das ist ungefähr 35 Kilometer entfernt von Köln, auf dem Land. Hier ist es sehr schön grün und es gibt viele Wälder. Das ist mein Haus. Es ist ein altes Fachwerkhaus. Folgen Sie mir! Kommen Sie!
Ja, also, das ist unsere Küche. Wenn man zur Haustür hereinkommt, ist man sofort in der Küche.
Rechts ist das Bad, und links unser Esstisch. Hinter dieser Tür ist ein kleiner Weinkeller. Kommen Sie bitte weiter, wir gehen in das Wohnzimmer. Ja, das ist unser Wohnzimmer. Und hier um die Ecke gibt es einen kleinen Kaufladen. Dort verkauft uns Alva das Essen. So, jetzt gehen wir links durch die Tür, die Treppe rauf. Mein Arbeitszimmer ist oben.
Kommen Sie! Passen Sie auf, Sie müssen den Kopf einziehen, die Decken sind sehr niedrig!
Das ist Alvas Kinderzimmer. Sie schläft in einem Hochbett.
Ja, das ist unser Schlafzimmer. Hier schlafen wir.
So und das ist unser begehbarer Kleiderschrank. Das ist unser Luxus.
Und das ist mein Arbeitszimmer. Wenn ich nicht in Köln bin, arbeite ich hier. Oh, Moment mal, Entschuldigung!

Film 9

Verkäufer: Guten Tag!
Mutter: Guten Tag!
Verkäufer: Wie kann ich Ihnen helfen?
Mutter: Wir suchen einen Anzug für meinen Sohn.
Verkäufer: Schauen Sie sich gern um.
Mutter: Danke.

Tim: Wie findest du den?
Mutter: Na, wenn ich ganz ehrlich bin, richtig passen tut der nicht, oder?
Tim: Ja, das stimmt. Soll ich vielleicht den anderen noch mal anprobieren?
Mutter: Ja, mach das mal.
Tim: Okay.

Tim: Wie findest du den?
Mutter: Den finde ich sehr gut. Gefällt mir …
Tim: Den finde ich auch klasse. Den würde ich gerne haben.

Film 10

Leonie: Dieses Jahr ist mein Kostüm eine Graszecke.

Grammatik im Überblick

Grammatik-Clips *Clip*

Clip 11: in, an, auf + Dativ
Clip 12: Perfekt (I)
Clip 13: in, an, auf + Dativ oder Akkusativ
Clip 14: Perfekt (II)
Clip 15: Indefinit- und Possessivartikel im Dativ
Clip 16: Personalpronomen im Akkusativ
Clip 17: Possessivartikel im Akkusativ
Clip 18: Verb + Dativ und Akkusativ
Clip 19: Temporale Präpositionen
Clip 20: Trennbare und untrennbare Verben

Wörter

1 Nomen und Artikel
2 Der Plural
3 Der Possessivartikel
4 Personalpronomen
5 Demonstrativpronomen
6 Das unpersönliche Es
7 Indefinitpronomen
8 Präpositionen
9 Adjektive
10 Adverbien
11 Regelmäßige Verben im Präsens
12 sein, haben, mögen
13 Verben mit Vokalwechsel
14 Trennbare Verben
15 Nicht trennbare Verben
16 Modalverben
17 Der Imperativ
18 Das Präteritum von sein und haben
19 Das Perfekt

Wortbildung

20 Komposita
21 Feminine Nomen auf -in
22 Adjektive auf -isch, -ig, -lich

Sätze

23 Der Aussagesatz
24 Die Satzklammer
25 Die Verneinung im Satz
26 Die W-Frage
27 Die Ja/Nein-Frage
28 Der Imperativsatz

Textgrammatik

29 Artikel und Pronomen
30 Sätze verbinden: und, oder, aber, denn

Wörter

1 Nomen und Artikel

Schau, der Hut.   Das ist kein Hut.

Nominativ	Singular			Plural
Definitartikel	der Hut	das Buch	die Tasche	die Länder
Indefinitartikel	ein Hut	ein Buch	eine Tasche	--- Länder
Negativartikel	kein Hut	kein Buch	keine Tasche	keine Länder
Possessivartikel	mein Hut	mein Buch	meine Tasche	meine Länder

Doch, das ist ein Hut.

Tipp:

Lernen Sie Nomen immer mit Artikel!

Ich kaufe den Hut.

Akkusativ	Singular			Plural
Definitartikel	den Hut	das Buch	die Tasche	die Länder
Indefinitartikel	einen Hut	ein Buch	eine Tasche	--- Länder
Negativartikel	keinen Hut	kein Buch	keine Tasche	keine Länder
Possessivartikel	meinen Hut	mein Buch	meine Tasche	meine Länder

Dativ	Singular			Plural
Definitartikel	dem Mann	dem Kind	der Frau	den Freunden
Indefinitartikel	einem Mann	einem Kind	einer Frau	--- Freunden
Negativartikel	keinem Mann	keinem Kind	keiner Frau	keinen Freunden
Possessivartikel	meinem Mann	meinem Kind	meiner Frau	meinen Freunden

Tipp:

Merken Sie sich: -em-/-em-/-er/-en.

Entschuldigung, der Hut gehört meinem Mann!

Verben mit Dativ: helfen, gefallen, passen
Verben mit Dativ und Akkusativ: geben, schenken, zeigen

Tipp:

Lernen Sie Verben + Dativ.

2 Der Plural

n/-en	die Familien (die Familie)	-er/-̈er	die Kinder (das Kind)
	die Uhren (die Uhr)		die Länder (das Land)
-nen	die Lehrerinnen (die Lehrerin)	-/-̈	die Computer (der Computer)
-e/-̈e	die Tage (der Tag)		die Töchter (die Tochter)
	die Söhne (der Sohn)	-s	die Fotos (das Foto)

Land, das
Pl., Länder

Tipp:

Lernen Sie immer die Singular- und die Pluralform!
(das Land – die Länder)

3 **Der Possessivartikel**

	der	das	die	die (Plural)
ich	mein Vater	mein Kind	meine Mutter	meine Eltern
du	dein Bruder	dein Haus	deine Schwester	deine Eltern
er / es	sein Sohn	sein Buch	seine Tochter	seine Eltern
sie	ihr Sohn	ihr Auto	ihre Tochter	ihre Eltern
wir	unser Vater	unser Kind	unsere Mutter	unsere Eltern
ihr	euer Bruder	euer Haus	eure (!) Schwester	eure (!) Eltern
sie	ihr Sohn	ihr Auto	ihre Tochter	ihre Eltern
Sie	Ihr Sohn	Ihr Buch	Ihre Tochter	Ihre Eltern

Das ist seine Frau.

---

4 **Personalpronomen**

	Nominativ	Akkusativ	Dativ
Singular	ich	mich	mir
	du	dich	dir
	er	ihn	
	sie	sie	
	es	es	
Plural	wir	uns	
	ihr	euch	
	sie	sie	
	Sie	Sie	

Woher kommen Sie?

Woher kommen Sie?

---

5 **Demonstrativpronomen**

	Singular		Plural	
Nominativ	der Mann – der	das Kind – das	die Frau – die	die Menschen – die
Akkusativ	den Mann – den	das Kind – das	die Frau – die	die Menschen – die

Gefällt dir der Anzug?

Nein, ich meine den.

Der?

Den?? Den finde ich nicht schick.

6   Das unpersönliche Es

Es ist 8 Uhr.
Wie geht es Ihnen? (Wie geht´s Ihnen?) – Es geht.
Es gibt einen Baum, ein Boot, eine Katze.
Aber es gibt keine Menschen.

Tipp:

Es gibt … + Akkusativ

7   Indefinitpronomen

Man isst in Deutschland viel Brot.
Man isst in Deutschland gern Brot.
Man isst in Deutschland oft Brot.

Alle wollen feiern, aber niemand will aufräumen.
Viele fahren Auto, aber nur wenige teilen ein Auto.
Jeder kann etwas und weiß etwas.

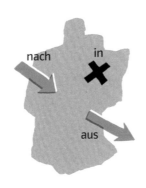

der Mann   ≠   man

8   Präpositionen

lokal: Länder und Städte
aus: Ich komme aus Deutschland.
in: Ich wohne in Berlin.
nach: Ich fahre nach Berlin.
        Ich fahre nach Deutschland.

Achtung: Ländernamen mit Artikel
der: Iran, Irak, …
die: Schweiz, Slowakei, Türkei, …
Plural: die Niederlande, die USA, …

Tipp:

Lernen Sie die Ländernamen mit
Artikel! Es sind nur wenige.
(die Schweiz – Ich reise in die Schweiz. –
Ich komme aus der Schweiz.)

Ich reise in den Iran, in die Schweiz, in die USA.
Ich komme aus dem Iran, aus der Schweiz, aus den USA.

von, zu, mit, bei + Dativ
Wir fahren / gehen…

der:	vom Alexanderplatz	zum Potsdamer Platz	(zum = zu dem)
das:	vom Hotel	zum Brandenburger Tor	
die:	von der Spree	zur Friedrichstraße (die)	(zur = zu der)

Ich lebe mit meinem Vater / meinem Kind / meiner Mutter / meinen Eltern.
Ich wohne bei meinem Vater / bei meinem Kind / bei meiner Mutter / bei meinen Eltern.

in, an, auf + Akkusativ und Dativ

	Ich bin (wo?)		**Ich gehe (wohin?)**	
der:	im Garten	in einem Garten	in den Garten	in einen Garten
	am Strand	an einem Strand	an den Strand	an einen Strand
	auf dem Berg	auf einem Berg	auf den Berg	auf einen Berg
das:	im Haus	in einem Haus	ins Haus	in ein Haus
	am Tor	an einem Tor	ans Tor	an ein Tor
	auf dem Boot	auf einem Boot	aufs Boot	auf ein Boot
die	in der Küche	in einer Küche	in die Küche	in eine Küche
	an der Tür	an einer Tür	an die Tür	an eine Tür
	auf der Straße	auf einer Straße	auf die Straße	auf eine Straße

im = in dem   ins = in das
am = an dem   aufs = auf das

temporal

im: Frühling, Sommer, Herbst, Winter
im: Januar, Februar, März, …
am: ersten, zweiten, dritten, vierten, … Januar
am: Ich komme am Montag. (Tag)
um: Ich komme um 12:00 Uhr. (Uhrzeit)
von – bis: Ich arbeite von 8:00 Uhr bis 16:00 Uhr.

für, ohne + Akkusativ

für: Für mein Handy habe ich viel Geld bezahlt. Es ist sehr wichtig für mich.
ohne: Ohne es kann ich nicht sein.

---

9 **Adjektive**

Der Anzug ist schick. Das Kleid ist bunt. Der Hut ist verrückt.
Der Geburtstag war sehr schön. Das Geschenk ist auch sehr schön. Aber die Party war nicht gut.
Der Wein war zu kalt. Das Essen war zu fett. Die Musik war zu laut.

---

10 **Adverbien**

temporal

Morgens trinke ich immer eine Tasse Kaffee und esse eine
Scheibe Brot mit Butter. Oft esse ich Marmelade oder Honig,
manchmal auch ein Ei. Wurst oder Käse esse ich selten und
Fisch esse ich nie zum Frühstück.
Gestern habe ich gefeiert. Heute bin ich müde.
Zuerst war der Bär in Berlin, dann in Wien und danach in Paris.

lokal

Hier ist der Alexanderplatz und da ist der Fernsehturm.
Gehen Sie geradeaus bis zum Potsdamer Platz, dann nach
rechts und dann nach links.

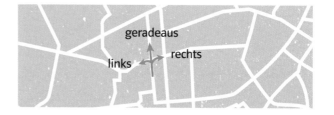

11   **Regelmäßige Verben im Präsens**

Infinitiv	kommen	heißen	arbeiten
Singular	ich komme	ich heiße	ich arbeite
	du kommst	du heißt (!)	du arbeitest (!)
	er / sie / es kommt	er / sie / es heißt (!)	er / sie / es arbeitet (!)
Plural	wir kommen	wir heißen	wir arbeiten
	ihr kommt	ihr heißt	ihr arbeitet
	sie kommen	sie heißen	sie arbeiten
	Sie kommen	Sie heißen	Sie arbeiten

12   **sein, haben, mögen**

Ja, Eis esse ich gern.

Magst du Eis?

Infinitiv	sein	haben	mögen
Singular	ich bin	ich habe	ich mag
	du bist	du hast	du magst
	er / sie / es ist	er / sie / es hat	er / sie / es mag
Plural	wir sind	wir haben	wir mögen
	ihr seid	ihr habt	ihr mögt
	sie sind	sie haben	sie mögen
	Sie sind	Sie haben	Sie mögen

Wir möchten zwei Eis haben, bitte.

13   **Verben mit Vokalwechsel**

e → i/ie	essen	lesen	nehmen	**a → ä**	schlafen
Singular	ich esse	ich lese	ich nehme	**Singular**	ich schlafe
	du isst	du liest	du nimmst		du schläfst
	er / sie / es isst	er / sie / es liest	er / sie / es nimmt		er / sie / es schläft
Plural	wir essen	wir lesen	wir nehmen	**Plural**	wir schlafen
	ihr esst	ihr lest	ihr nehmt		ihr schlaft
	sie essen	sie lesen	sie nehmen		sie schlafen
	Sie essen	Sie lesen	Sie nehmen		Sie schlafen

ebenso:
geben, helfen
sehen
sprechen

ebenso:
anfangen, gefallen
fahren

Tipp:

Lernen Sie auch die
3. Person Singular.

14 Trennbare Verben

anfangen	Ich fange an.	
aufstehen	Du stehst auf.	
auspacken	Er packt aus.	
losfahren	Wir fahren los.	
einkaufen	Sie kaufen ein.	
mitkommen	Ich komme mit.	
nachdenken	Du denkst nach.	
weiterhelfen	Es hilft mir weiter.	

ebenso: fernsehen – Ich sehe fern.

stattfinden – Der Ball findet in Wien statt.

Tipp:

Lernen Sie auch
einen Beispielsatz!

15 Nicht trennbare Verben

bezahlen	Ich bezahle den Wein.
erzählen	Du erzählst Märchen.
vergessen	Er vergisst alles.

16 Modalverben

	wollen	müssen	können	möcht-	dürfen
Infinitiv					
Singular	ich will	ich muss	ich kann	ich möchte	ich darf
	du willst	du musst	du kannst	du möchtest	du darfst
	er/sie/es will	er/sie/es muss	er/sie/es kann	er/sie/es möchte	er/sie/es darf
Plural	wir wollen	wir müssen	wir können	wir möchten	wir dürfen
	ihr wollt	ihr müsst	ihr könnt	ihr möchtet	ihr dürft
	sie wollen	sie müssen	sie können	sie möchten	sie dürfen
	Sie wollen	Sie müssen	Sie können	Sie möchten	Sie dürfen

Tipp:

Lernen Sie auch die 3. Person Singular!
Die 1. und 3. Person ist immer gleich.

Zahlen bitte!

Ich zahle heute!

Darf ich zahlen?

Ich möchte zahlen.

Ich muss zahlen.

Ich kann zahlen.

Ich will zahlen.

Ich darf zahlen.

17 **Der Imperativ**

Lach doch mal!

		Du-Form		Ihr-Form		Sie-Form
kommen:	du kommst	Komm!	ihr kommt	Kommt!	Sie kommen	Kommen Sie!
essen:	du isst	Iss!	ihr esst	Esst!	Sie Essen	Essen Sie!
nehmen:	du nimmst	Nimm!	ihr nehmt	Nehmt!	Sie nehmen	Nehmen Sie!

Besondere Formen:

haben:		Hab!		Habt!	Sie haben	Haben Sie (Geduld)!
sein:		Sei!		Seid!	Sie sind	Seien Sie (still)!
fahren:	du fährst	Fahr!	ihr fahrt	Fahrt!	Sie fahren	Fahren Sie!
anfangen:	du fängst an	Fang an!	ihr fangt an	Fangt an!	Sie fangen an	Fangen Sie an!

18 **Das Präteritum von sein und haben**

Infinitiv	sein	haben
Singular	ich war	ich hatte
	er / sie / es war	er / sie / es hatte
Plural	wir waren	wir hatten
	ihr wart	ihr hattet
	sie waren	sie hatten
	Sie waren	Sie hatten

Da war ich jung!
Ich hatte viel Spaß!

19 **Das Perfekt**

sein + Partizip II: gehen, fahren, kommen, schwimmen, klettern, reisen; sein (ich **bin** gegangen)

haben + Partizip II: die meisten Verben (ich **habe** getanzt)

Da habe ich noch bei
meinen Eltern gewohnt.

Das Partizip II

ge_____t / et	_____t	ge_____en
ich habe gewohnt	ich habe telefoniert	ich bin gekommen
ich habe geliebt	ich habe trainiert	ich bin gegangen
ich habe gearbeitet	ich habe organisiert	ich bin gefahren

Tipp:

Partizipien auf -en sind unregelmäßig.
Lernen Sie sie auswendig!

Wortbildung

 Komposita

Nomen + Nomen

der Schinken + das Brot = das Schinkenbrot

das Brot + der Korb = der Brotkorb

das Frühstück s brot

das Pause n brot

Verb + Nomen

wohnen + das Zimmer = das Wohnzimmer

schlafen + das Zimmer = das Schlafzimmer

essen + das Zimmer = das Esszimmer

 Feminine Nomen auf -in

der Bergführer – die Bergführerin

der Tourist – die Touristin

der Prinz – die Prinzessin

der Bauer – die Bäuerin

 Adjektive auf -isch, -ig, -lich

-isch	-ig	-lich
der Chinese – chinesisch	der Stress –stressig	der Sport – sportlich
der Italiener – italienisch	die Sonne – sonnig	der Herr – herrlich
der Türke – türkisch	der Mut – mutig	das Glück – glücklich
der Franzose – französisch		

Sätze

 Der Aussagesatz

	1	2	3, 4, 5, ...		Satzende
	Ich	esse.			
	Ich	esse		ein Käsebrot.	
	Ich	esse	morgens	ein Käsebrot.	
	Morgens	esse	ich	ein Käsebrot.	

24 Die Satzklammer

1	2	3, 4, 5, ...			Satzende
Ich	stehe		am Sonntag um 8 Uhr		auf.
Am Sonntag	stehe	ich	um 8 Uhr		auf.
Er	muss		am Sonntag		arbeiten.
Am Sonntag	muss	er			arbeiten.
Wir	gehen		am Sonntag		schwimmen.
Am Sonntag	gehen	wir			schwimmen.
Ich	bin		am Sonntag um 8 Uhr ins Kino		gegangen.
Am Sonntag	bin	ich	um 8 Uhr ins Kino		gegangen.
Er	hat		am Sonntag		gearbeitet.
Am Sonntag	hat	er			gearbeitet.

25 Die Verneinung im Satz

1	2	3, 4, 5, ...			Satzende
Wir	kochen		am Sonntag	nicht.	
Am Sonntag	kochen	wir		nicht.	
Er	muss		am Sonntag	nicht	arbeiten.
Am Sonntag	muss	er		nicht	arbeiten.
Ich	arbeite			nicht gern.	
Am Sonntag	habe	ich		nicht	gearbeitet.

26 Die W-Frage

1	2	3, 4, 5, ...			Satzende
Wann	kommst	du?			
Wie oft	gehst	du	ins Kino?		
Wie lange	siehst	du	jeden Tag		fern?
Was	willst	du	heute		machen?
Wie viele Freunde	hast	du?			

Wie heißt du?	Eva.	Wer bist du?	Ich bin Eva.
Wie viele Freunde hast du?	530 auf Facebook.	Was ist das?	Das ist mein Handy.
Wie oft gehst du ins Kino?	2-mal pro Woche.	Wen brauchen Sie?	Den Chef, bitte.
Wie lang siehst du jeden Tag fern?	3 Stunden.	Was brauchen Sie?	Den Stift, bitte.
Wo wohnst du?	In Wien.	Wem schenkst du ein Buch?	Meinem Vater.
Woher kommst du?	Aus Österreich.	Mit wem fährst du nach Mexiko?	Mit meiner Frau.
Wohin reist du gern?	Nach Berlin.	Bei wem wohnst du?	Bei meinen Eltern.

27 Die Ja/Nein-Frage

	1	2	3, 4, 5, ...	Satzende
	Machst	du	gern Sport?	
	Kommen	Sie	aus Deutschland?	
	Stehst	du	am Sonntag um 8.00 Uhr	auf?
	Willst	du	ins Kino	gehen?

28 Der Imperativsatz

	1	2	3, 4, 5, ...	Satzende
		Lies	den Text!	
		Steh	morgen um 6 Uhr	auf!
		Lest	den Text!	
		Steht	morgen um 6 Uhr	auf!
	Lesen	Sie	den Text!	
	Stehen	Sie	morgen um 6 Uhr	auf!

Textgrammatik

29 Artikel und Pronomen

Das ist Jan. Er kommt aus Berlin. Das ist Hanna. Sie kommt aus Wien.

Das ist ein Stift. Der Stift war teuer. Er schreibt schön.
Ich kaufe ein Buch. Das Buch ist ein Bestseller. Es ist interessant.
Möchtest du eine Tasche? Die Tasche ist cool. Sie ist teuer.
Nehmen Sie Äpfel! Die Äpfel kommen aus Österreich. Sie schmecken gut.

Das ist mein Haus und das ist meine Familie. Ich liebe mein Haus, meinen Mann und meine Tochter.
Mein Mann liebt sein Auto. Meine Tochter liebt ihren Freund und seinen Hund. Ihr Freund mag unsere Familie.

30 Sätze verbinden: und, oder, aber, denn

0	1	2	3, 4, 5, ...	Satzende
	Ich	komme	aus Deutschland	
und	ich	spreche	Deutsch und Italienisch.	
	Möchtest	du	heute Abend	fernsehen
oder	möchtest	du	ins Kino	gehen?
	Ich	esse	gern Pizza,	
aber	ich	mag	keine Nudeln.	
	Ich	mache	eine Party,	
denn	ich	habe	Geburtstag.	

Grammatikbegriffe

Bezeichnung	Beispiel	Meine Sprache / Notizen
Adjektiv, das	Das Wetter ist schön.	
Akkusativ, der	Ich kaufe einen Hut. Ich mag den Hut.	
Artikel, der	der Mann – ein Mann das Kind – ein Kind die Frau – eine Frau	
Aussagesatz, der	Ich heiße Jan. Wie heißt du? Ich wohne in Graz. Wohnst du auch in Graz?	
Dativ, der	Der Anzug passt dem Mann. Die Bluse passt dem Kind. Das Kleid passt der Frau. Die Sachen passen den Leuten.	
Definitartikel, der	Der Kuchen ist gut. Ich mag den Kuchen. Das Eis ist gut. Die Torte ist gut.	
Demonstrativpronomen, das	Schau mal, der Mann! – Der da? Schau mal, das Kind! – Das da? Schau mal, die Frau! – Die da?	
Fragesatz, der	Ich heiße Jan. Wie heißt du? Ich wohne in Graz. Wohnst du auch in Graz?	
Imperativ, der	Spiel Fußball! Spielt Fußball! Spielen Sie Fußball!	
Indefinitartikel, der	Das ist ein Hut. Ich kaufe einen Hut. Das ist ein Haus. Das ist eine Bürste.	
Indefinitpronomen, das	Man isst viel Brot in Deutschland.	
Kompositum, das	das Butterbrot = die Butter + das Brot das Wohnzimmer = wohnen + das Zimmer	
Modalverb, das	Wir können schwimmen. Wir wollen schwimmen. Wir müssen schwimmen. Wir dürfen nicht schwimmen.	
Negativartikel, der	Das ist kein Hut. Ich kaufe keinen Hut. Das ist kein Haus. Das ist keine Bürste.	

Bezeichnung	Beispiel	Meine Sprache / Notizen
Nomen, das	Der Mensch kauft Autos und Computer. Aber Glück kann man nicht kaufen.	
Nominativ, der	Die Frau kauft einen Hut. Der Hut ist teuer.	
Perfekt, das	Ich bin gegangen. Ich habe gelernt.	
Personalpronomen, das	Ich singe. Du singst. Er singt. Sie singt. Es singt. Wir singen. Ihr singt. Sie singen.	
Plural, der	der Stift – die Stifte das Buch – die Bücher die Flasche – die Flaschen	
Possessivartikel, der	Das ist mein Freund. Das ist meine Freundin. Das sind unsere Freunde.	
Präposition, die	Ich komme aus Deutschland. Ich komme um 8 Uhr.	
Präsens, das	Heute bin ich glücklich. Ich habe viel Spaß.	
Präteritum, das	Gestern war ich glücklich. Ich hatte viel Spaß.	
Satzklammer, die	Ich stehe um 8 Uhr auf. Ich muss heute arbeiten. Ich bin vor einem Jahr nach Berlin gekommen.	
Singular, der	der Stift – die Stifte das Buch – die Bücher die Flasche – die Flaschen	
Trennbare Verben	aufstehen: Ich stehe auf. losfahren: Ich fahre los. anfangen: Ich fange an.	
Verb, das	Ich bin Jan. Ich wohne in Graz. Ich mag Kino.	
Verb mit Vokalwechsel, das	Ich esse – du isst – er isst – wir essen	
Verneinung, die	Ich esse nicht gern Brot. Ich esse kein Brot.	
Wechselpräposition, die (Lokale Präpositionen mit Akkusativ und Dativ)	Ich gehe ins Haus. Ich bin im Haus. Ich gehe auf den Berg. Ich bin auf dem Berg. Ich gehe an den Fluss. Ich bin am Fluss.	

Phonetikbegriffe

Bezeichnung	Beispiel	Meine Sprache / Notizen
Ach-Laut	[x] Kuchen	
Akzentvokal, der	Kuchen, essen	
Diphtong, der	au, äu, eu, ai, ei / [aͻ], [ͻœ], [ͻœ], [aɛ], [aɛ]	
Fortis (starke Konsonanten)	[b], [t], [k], [f], [s], [ʃ], [ç], [x]	
Gliederung (Pausen)	Ich reise mit meiner Freundin, / mit meiner Tante / und mit meinem Freund / nach Berlin.	
Ich-Laut	[ç] Milch	
Konsonant, der	b, c, d, f, g, … / [b], [ts], [d], [f], [g], …	
Laut, der	z. B. E-Laut [e:] lesen, gehen, der Tee [ɛ] essen, lächeln [ɛ:] der Käse	
Lenis (schwache Konsonanten)	[b], [d], [g], [v], [z], [j], [ʁ]	
Plosive	[p], [t], [k], [b], [d], [g]	
R-Laute	R-Konsonant [ʁ] rot R-Vokal [ɐ] Uhr, teuer	
Rhythmus, der	hm-hm-HM! = Guten Tag! Hm-HM-hm? = Wie geht's dir?	
Satzakzent, der	Wir essen Kuchen.	
Satzmelodie, die	Wir essen Kuchen. ↘ Ihr esst Kuchen? ↗	
Schwa-Laut (schwaches e)	[ə] gegessen	
Silbe, die	Ber-ge	
Vokal, der	a, e, i, o, u / [a:], [e:], [i:], [o:], [u:], …	
Wortakzent, der	Kuchen, essen	

lesen

ausfüllen

schreiben

verbinden

ankreuzen

markieren

zuordnen

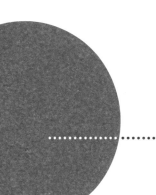

Übungsbuch

Online wiederholen und testen nach jeder Lektion

- pro Lektion 5 Übungen mit allen wichtigen Themen der Lektion
- mit Übungs- und Testmodus
- mit Hilfen / mit Auswertung auf www.klett-sprachen.de/dafleicht, auch für Tablets

1

Bildwörterbuch

sitzen

06 ......In Berlin ist was los!

Nomen

der Ort, -e
die Straße, -n
die Kunst, -ü-e
die Kultur, -en
das Café, -s
der Turm, -ü-e
der Fernsehturm
die Aussicht, -en
das Ticket, -s
die Stadtrundfahrt, -en
die Sehenswürdigkeit, -en
das Museum, Museen
die Geschichte (hier nur Sg.)
der Park, -s
die Insel, -n
das Schiff, -e
das Boot, -e

die Bar, -s
die Strandbar, -s
der Club, -s
der Cocktail, -s
das Einkaufszentrum,
  -zentren
das Kaufhaus, -ä-er
der Flohmarkt, -ä-e
die Galerie, -n
der Tourist, -en
die Touristin, -nen
die Tour, -en
der Bahnhof, -ö-e
die Station, -en
die U-Bahn, -en
die S-Bahn, -en
die Karte, -n
die Bibliothek, -en

der Platz, -ä-e
die Leute (nur Pl.)
der DJ, -s
die Idee, -n
das Produkt, -e
die Erfahrung, -en
das Studium, Studien
das Studentenwohnheim, -e
das Zimmer, -
die WG, -s (Wohngemein-
  schaft)
das Dorf, -ö-er
das Fahrrad, -ä-er
das Open-Air-Kino, -s
der Besuch, -e
der Bär, -en
der Künstler, -
die Künstlerin, -nen

2

Assoziationen

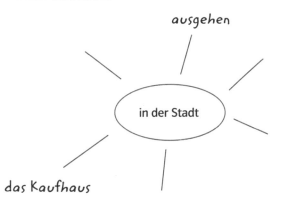

ausgehen

in der Stadt

das Kaufhaus

3

Beispiele

international: _____

günstig: _____

super: _____

4

Artikel

Wo bist du?

am Turm, ...

im Museum, ...

auf der Straße, ...

an der Spree

Verben	Adjektive	Adverbien	Präpositionen
frühstücken	günstig	links	in
kaufen	chinesisch	rechts	an
genießen	amerikanisch	geradeaus	auf
sitzen	französisch	zuerst	von … zu …
stehen	italienisch	dann	
liegen	türkisch	danach	**Fragewörter**
besuchen	wunderbar	gestern	Wo?
erleben	bunt	gerade (Zeit)	
beginnen	kreativ	später	**Wendungen**
chillen	lang		In … ist was los!
ausgehen, geht aus	offen	**Kleine Wörter**	vor … Jahren
starten	international	also	Ja genau!
sagen	anstrengend	besonders	etwas Neues
holen	anonym	vor allem	
entschuldigen	tief		
glauben	fest		
	müde		

5

Fragen

1. Wo _____ ?

   Ich bin in Berlin.

2. Wo _____ ?

   Ich frühstücke gern im Café.

3. Was _____ ?

   Ich mache eine Stadtrundfahrt.

4. Wie _____ Potsdamer Platz?

   Gehen Sie geradeaus und dann links!

6

Mein Wortschatz

Ich bin in Berlin.

Ich besuche _____ .

Ich chille _____ .

Ich kaufe _____ .

Seite 12-13 KB, 1-3

Was passt? Kreuzen Sie an.

	sitzen	kaufen	besuchen	früh-stücken	chillen
Café				X	
Museum			X		
Strandbar					X
Bus	X				
Ticket		X			
Sehens-würdigkeit		X			

8

in – an – auf: Welche Präposition passt?

_____ dem Turm

_____ Turm

_____ Café

_____ Café

_____ der Spree

_____ der Spree

9

Ergänzen Sie.

~~In Berlin~~ | auf dem Fernsehturm | in der Strandbar | auf dem Kurfürstendamm | im Café

> mina@mina 10.Mai
>
> Hallo, viele Grüße aus Berlin!
>
> *In Berlin* ist was los! Heute war ich _____
>
> frühstücken. Ich war _____ – eine
>
> super Aussicht! Ich war auch _____
>
> _____ einkaufen. Am Abend war ich _____
>
> _____ chillen. Es ist cool hier.
>
> Bis bald, eure Mina.
>
> ↰ ⇄ ★ ⋯

10

Ergänzen Sie: in oder im?

Ich bin _____ der Stadt, _____ Kino, _____ Restaurant.

Ich sitze _____ der Bar, _____ Bus, _____ Café.

Ich stehe _____ der Straße, _____ Club, _____ Museum.

Ich liege _____ der Strandbar und _____ Bett.

11

Kombinieren Sie mögliche Sätze.

Hallo, was machst du gerade?

		Bus.
		Theater.
	am	Turm.
Ich bin	an der	Bar.
Ich sitze	im	Insel.
Ich stehe	in der	Schiff.
Ich liege	auf dem	Restaurant.
	auf der	Museum.
		Boot.

12a Track 1   Seite 14 KB, **4**

Hören Sie und ergänzen Sie die Wörter.

⁶   ⁵   ¹   ²   ⁷   ³   ⁸   ¹⁰   ⁴   ⁹
Bücher | Kaufhaus | Einkaufszentrum | Cafés | Souvenirs | Flohmarkt | Galerien | Clubs | Imbissständen | Bars

Wir starten am Alexanderplatz. Dort steht das ___Einkaufszentrum___ (1) Alexa. Hier können Sie einfach alles kaufen und Sie
finden viele ___Cafés___ (2) für eine Shopping-Pause. Vom Alexanderplatz geht es weiter zum Mauerpark. Dort gehen
Berliner und Touristen gern spazieren und auf dem ___Flohmarkt___ (3) können Sie Sachen für wenig Geld kaufen. An den
___Imbissständen___ (4) gibt es Pommes und Currywurst. Sie möchten exklusiv shoppen? Dann fahren Sie vom Mauerpark zum
Kurfürstendamm! Dort steht das ___Kaufhaus___ (5) des Westens, das KaDeWe. Es ist das Kaufhaus in Berlin. Hier gibt es
einfach alles! Aber weiter zur Friedrichstraße. Im Kulturkaufhaus Dussmann auf der Friedrichstraße finden Sie ___Bücher___ (6),
Musik und ___Souvenirs___ (7). Von der Friedrichstraße geht es weiter zur Torstraße. Das ist unsere letzte Station. Auf der Torstraße
finden Sie viele In-Shops, klein, aber sehr modern, und ___Galerien___ (8) mit Kunst aus der ganzen Welt. Die Restaurants,
___Bars___ (9) und ___Clubs___ (10) auf der Torstraße sind ideal zum Ausgehen am Abend und in der Nacht.

12b

Ergänzen Sie Singular- / Pluralformen.

		7.
1. die Einkaufszentren	4.	8.
2.	5.	9.
3.	6.	10.

13a

Ordnen Sie die Wörter nach Artikeln.

Café | Turm | Museum | Bar | Straße | Platz | Kino | Flohmarkt | Station | Bahnhof | Hotel | Galerie | U-Bahn

der	das	die
___	___	___
___	___	___
___	___	___
___	___	___

vom ← → zum   von der → zur

13b

Ergänzen Sie die Fragen.

1. Wie komme ich   Kino?

2. Wie komme ich   Pergamonmuseum?

3. Wie komme ich   Bahnhof   Fernsehturm?

4. Wie komme ich   Kino   Strandbar?

5. Wie komme ich   Friedrichstraße   Torstraße?

14 Seite 14 - 15 KB, **6 - 8**

Antworten Sie.

Entschuldigung, wo bin ich hier?

<u>Sie sind am Museum.</u>

_____

_____

_____

Brandenburger Tor

15

Welche Richtgung? Schreiben Sie die Wörter.

↑ _____

← _____

→ _____

16a Track 2

Links, rechts oder geradeaus?
Hören Sie und nummerieren Sie.

Entschuldigen Sie, wie komme ich zum Brandenburger Tor?

☐ Gehen Sie rechts.

☐ Gehen Sie links.

☐ Gehen Sie geradeaus bis zur Straße des 17. Juni.

16b

Schreiben Sie die Antwort.

Gehen Sie <u>zuerst</u> _____,

_____ _____ bis

zur Straße des 17. Juni und _____

_____. Dann sehen Sie schon

_____.

17a Track 3

Hören Sie die Dialoge. Was sind die Ziele? Kreuzen Sie an.

Ziel 1: ☐ Pariser Platz   ☐ Historisches Museum   ☐ Pergamonmuseum

Ziel 2: ☐ Pergamonmuseum   ☐ Stadtmitte   ☐ Schlossplatz

17b

Hören Sie noch einmal. Wie ist der Weg? Notieren Sie: ↑, ←, →

Ziel 1: _____

Ziel 2: _____

Kartendaten © 2014 GeoBasisDE/BKG (©2009), Google

18

Welche Verbform passt? Markieren Sie.

1. Gehen Sie | Geht | Gehe   rechts, danach geradeaus und dann wieder rechts. (Sie)
2. Macht | Mache | Machen Sie   eine Stadtrundfahrt! (ihr)
3. Besuchst | Besuche | Besuchen Sie   das Historische Museum! (Sie)
4. Kaufe | Kaufen Sie | Kauft   ein Berliner Souvenir! (Sie)
5. Frühstücke | Frühstücken Sie | Frühstückt   nicht im Hotel! (du)

19a *Seite 16–17 KB, 9–10*

Bilden Sie Partizipien.

holen	ge ____ t	
kommen	ge ____ en	
lernen	ge ____ t	
lieben	ge ____ t	
machen	ge ____ t	
reisen	ge ____ t	
sagen	ge ____ t	
suchen	ge ____ t	

19b

Perfekt mit sein oder mit haben? Ergänzen Sie die Partizipien.

haben	sein
gemacht	*gekommen*

20a

Ergänzen Sie die Verben im Perfekt.

Daniel: Hier bleibe ich

Ich ____ lange in New York ____ (wohnen). Dort ____ ich viele Erfahrungen ____ (machen). Aber ich ____ etwas Neues ____ (suchen) und ____ vor 14 Jahren nach Berlin ____ (reisen). Ich ____ die Stadt sofort ____ (lieben). Und vor fünf Jahren ____ ich ____ (sagen): Hier bleibe ich.

20b

Ergänzen Sie die Verben im Präsens, Perfekt und Präteritum.

Aurelie: Berlin ____ wunderbar (sein)

Ich ____ vor zehn Jahren nach Berlin ____ (kommen). Wie viele Franzosen ____ (lieben) ich die Stadt. Berlin ____ wunderbar (sein). Die Leute ____ sehr offen (sein). Ich ____ als Studentin aus der Bretagne ____ (kommen), ohne ein Wort Deutsch. Aber an der Universität ____ ich die Sprache schnell ____ (lernen). Vor zwei Jahren ____ ich eine Idee (haben): ein Shop mit bretonischen Lebensmitteln. Das Essen in Berlin ____ sehr international (sein), aber bretonische Produkte ____ man nur hier (finden). Ich ____ viele Produkte aus Frankreich (holen). Die Deutschen ____ vor allem die Marmeladen sehr gern (kaufen).

20c

Beantworten Sie die Fragen. Schreiben Sie ganze Sätze.

1. Wer hat lange in New York gelebt? ____ hat lange ____ .

2. Wer hat an der Universität Deutsch gelernt? ____ .

3. Wer hat viele Erfahrungen gemacht? ____ .

4. Wer ist aus der Bretagne gekommen? ____ .

20d

Wer hat was gemacht? Schreiben Sie Sätze.

Vor 14 Jahren ____ .

Vor 10 Jahren ____ .

Vor 5 Jahren ____ .

Vor 2 Jahren ____ .

____ leben Daniel und Aurelie in Berlin.

21 *Seite 18 KB, 11-13*

Ergänzen Sie das Partizip.

essen   e s s

fahren   f a h r

schlafen   s c h l a f

gehen   g a n g

22

Was haben Sie gestern Abend gemacht? Antworten Sie.

1. Ich _____. (einen Döner essen)

2. Wir _____. (auf dem Bier-Fahrrad fahren)

3. Ich _____. (tief und fest schlafen)

4. Wir _____ (an der East Side Gallery

_____. spazieren gehen)

5. Ich _____ (auf dem Tanzschiff tanzen)

_____.

23

Wer hat was gemacht? Ergänzen Sie die Tabellen.

Ich	habe	getanzt.
Du		geschlafen.
Er	hat	gegessen.
Sie		gelernt.
Wir		gearbeitet.
Ihr	habt	
Sie		

Ich	bin	spazieren gegangen.
Du		tanzen gegangen.
Er		
Sie		
Wir		
Ihr	seid	gereist.
Sie		Auto gefahren.

24

Wer hat was gemacht? Ordnen Sie die Sätze.

1. Er / gestern / Fußball / gespielt / hat _____

_____

2. Sie / sind / gereist / vor 10 Jahren nach Griechenland _____

_____

3. Du / nicht geschlafen / hast / gestern _____

_____

4. Wir / vor 2 Jahren nach Berlin / sind / gefahren _____

_____

5. Ihr / heute / shoppen gegangen / seid _____

_____

6. Sie / gearbeitet / hat / am Wochenende _____

_____

25

Was ist richtig? Markieren Sie.

1. In | Vor 2 Wochen seid ihr nach Berlin gekommen.

2. Am | Um 22 Uhr sind wir tanzen gegangen.

3. Am | Vom Vormittag hatte ich frei.

4. Gestern hat sie von 8 zu | bis 14 Uhr gearbeitet.

5. Was habt ihr vom | am Wochenende gemacht?

6. Bis | Am Viertel vor zwölf haben wir Musik gehört.

 *Seite 19 KB,* **14**

Suchen Sie die Zahlen. Markieren Sie, schreiben Sie die Ziffer.

Hjföprnhfünfzigdrulfünfzehnmaonzweitausendvierzehnlöonelfuzndreiopnfäzweitausendeinsufgeintausendapksechzehnhap
einhundertjknsiebzehnlüachtundneunzigopusechsundsechziggaszweitausendneun

50, _____

  Track 4

Hören Sie den Text. Wann waren die Bären an den Orten?

Berlin: _____   Istanbul: _____

Kairo: _____   Tokio: _____

Hongkong: _____   Warschau: _____

Buenos Aires: _____   Wien: _____

28a *Seite 19 KB,* **15**

Was passt zusammen? Bilden Sie Sätze.

ich			
du		2013	in Moskau
	warst	2014	in Tokio
er / sie	war	2001	in Amsterdam
wir		2004	in Marrakesch
	wart	2005	in New York
ihr	waren	2008	in Berlin
sie		2010	in Stockholm
Sie		2009 …	in Athen …

Ich war 2013 in New York. _____

_____

_____

_____

28b

Wie war es da? Schreiben Sie Sätze zu den Sätzen aus 28a.

		ich		
		du	viel Spaß	
	hatte	er / sie	eine gute Zeit	
	hatten		viel Arbeit	
Dort	hattest	wir	Urlaub	
	hattet	ihr	Freunde	
		sie	lange Nächte	
		Sie	schöne Tage …	

_____

_____

_____

_____

Beantworten Sie die Fragen. Schreiben Sie ganze Sätze.

1. Wo waren Sie 2012? _____

2. Wohin sind Sie 2014 gereist? _____

3. Wo haben Sie 2010 gewohnt? _____

4. Wo waren Sie 2008? _____

5. Wo haben Sie 2004 gewohnt? _____

6. Wo und wann hatten Sie viel Spaß? _____

30

Richtig schreiben. Schreiben Sie den Text korrekt.

derbäristeinsymbolvonberlinimjahrzweitausendeinshabenkünstlerdreihundertfünfzigbärenbuntbemaltsieheißenbuddybärenheute
gibtesübereintausendbuddybärenindergnzenweltdiebärenreisensehrgernzweitausendvierzehnmachensiestationinbrasilien

_____

_____

_____

31

Schreiben Sie einen Paralleltext.

Was hast du heute Nacht gemacht?
Ich war müde und du warst wach.
Er ist eingeschlafen und sie ist ausgegangen.
Wir haben geträumt und ihr habt gelacht.
Sie haben getanzt, die ganze Nacht.

Was _____ ?
Ich _____ und du _____ .
Er _____ und sie _____ .
Wir _____ und ihr _____ .
Sie _____ .

32

24 Stunden in … Schreiben Sie.

Vor einem Jahr bin ich nach … gereist.

Ich bin …

Ich habe …

Ich war …

Ich hatte …

_____

_____

_____

_____

33

Meine Stadt. Schreiben Sie einen kurzen Text über Ihre Stadt.

wunderbar, international,
anstrengend, anonym, spannend,
…

Mein Berlin
Die U-Bahn bunt,
die Menschen offen,
die Nächte lang.
Berlin ist wunderbar!

die Bars, die Restaurants,
die Cafés, die Clubs, …

Track 5

Schwaches e am Ende: Hören Sie die Beispiele.

ich lerne – wir lernen

ich frage – wir fragen

  Track 6

Hören Sie und sprechen Sie nach.
Sprechen Sie das e am Ende ganz schwach.

ich sehe – wir sehen • ich gehe – wir gehen •
ich lerne – wir lernen • ich wohne – wir wohnen •
ich komme – wir kommen • ich nehme – wir nehmen •
ich hole – wir holen • ich fahre – wir fahren

  Track 7

Hören Sie mehrmals. Welches e hören Sie nicht?
Streichen Sie es durch.

Sagen Sie bitte, was machen Sie heute in Berlin? | Wohin
gehen Sie? | Ich gehe einkaufen. | Ich gehe spazieren. |
Ich habe keine Zeit. | Ich arbeite. | Ich wohne hier. | Ich gehe
nach Hause. | Wir haben frei. | Wir genießen die Sonne.

  Track 8

Hören Sie die Wortgruppen und sprechen Sie nach.

schwaches e:	ich gehe | ich fahre | ich habe |
	ich wohne | ich arbeite
e fällt weg:	
→ Sie sprechen *n*	sie gehen | sie fahren |
	sie machen | sie arbeiten |
	sie genießen
→ Sie sprechen *m*	wir haben | wir lieben | wir leben |
	sie kommen | sie nehmen
→ Sie sprechen *ng*	sie sagen | sie fragen | sie liegen |
	sie trinken | sie denken

Hören Sie 34c noch einmal und sprechen Sie nach.
Achten Sie auf Ihre Lösung.

  Track 9

Wortakzent und schwaches e in Wörtern mit ge-:
Hören Sie die Beispiele.

gelernt

gemacht

  Track 10

Hören Sie und sprechen Sie leise mit.
Klopfen Sie die Wortakzente.

Gefragt | gehört | gelernt | gedacht,
gesucht | geholt | gesagt | gemacht.
Getanzt | geträumt | getrunken | gelacht.
Gespielt | gelebt | gegessen | gemacht.

Hören Sie noch einmal und markieren Sie.
Ist der Akzentvokal lang (_) oder kurz (.)?

Hören Sie noch einmal und sprechen Sie nach.

Lesen Sie jetzt den Text vor. Sprechen Sie schneller.

  Track 11

Hören Sie die Wörter und die Fragen und sprechen Sie nach.

• gelernt	• Was haben Sie gelernt?
• gewohnt	• Wo haben Sie früher gewohnt?
• gegessen	• Was haben Sie gern gegessen?
• getrunken	• Was haben Sie gern getrunken?
• gespielt	• Was haben Sie gern gespielt

1

Bildwörterbuch

der Frühling

07.............Natur und Sport

Nomen

die Natur (nur Sg.)
der Schnee (nur Sg.)
die Wiese, -n
der Wald, -ä-er
der Baum, -ä-e
der Vogel, -ö-
das Meer, -e
der Strand, -ä-e
die Muschel, -n
die Welle, -n
das Gemüse (nur Sg.)
das Obst (nur Sg.)
die Zeitschrift, -en
das Thema, Themen
die Seite, -n
der Leser, -
die Leserin, -nen

das Problem, -e
der Computer, -
der Bergführer, -
die Bergführerin, -nen
der Fischer, -
die Hausfrau, -en
der Bauer, -n
die Bäuerin, -nen
das Tier, -e
der See, -n
der Fluss, -ü-e
die Ruhe (nur Sg.)
der Frühling, -e
der Sommer, -
der Herbst, -e
der Winter, -
das Eis (Wetter)
der Himmel, -

der Kopf, -ö-e
die Richtung, -en
die Ampel, -n
der Fußweg, -e
der Radweg, -e
das T-Shirt, -s
der Pullover, -
die Regenjacke, -n
das Hobby, -s
das Verkehrsmittel, -
das Schild, -er
die Bewegung, -en
das Protokoll, -e
das Alter (nur Sg.)
der Informatiker, -
die Informatikerin, -nen
die Notiz, -en
die Arbeit (hier nur Sg.)

2

Assoziationen

die Ruhe

Arbeiten in
der Natur

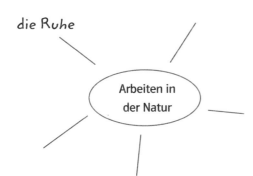

3

Rätsel

Welche Jahreszeit ist das?

1. Es ist kalt und es gibt Schnee und Eis. _____

2. Es gibt viel Obst im Garten. _____

3. Es ist heiß. Wir schwimmen im See. _____

4. Es ist warm. Auf der Wiese blühen Blumen. _____

das Wetter (nur Sg.)	werden, wird
der Rücken, -	joggen
der Schmerz, -en	klettern
die Rückenschmerzen (nur Pl.)	mitkommen, kommt mit
die Kopfschmerzen (nur Pl.)	treten, tritt
das Fitnessstudio, -s	nachdenken, denkt nach
die Person, -en	träumen
der Kollege, -n	anziehen, zieht an
die Kollegin, -nen	regnen
der Chef, -s	Inliner fahren, fährt Inliner
die Chefin, -nen	Skateboard fahren, fährt
	Skateboard
	Yoga machen
Verben	trainieren
kochen	zu Fuß gehen
verdienen	weiterfahren, fährt weiter
fangen, fängt	chatten
bauen	dürfen, darf

Adjektive
herrlich
ruhig
stressig
krank
sportlich
barfuß
komisch
richtig
schlecht
sonnig
blau
verboten
erlaubt

Wendungen
es gibt + Akk.
Er lebt auf dem Land.
Ich habe Lust. / Ich habe
  keine Lust.
Gute Idee!
Das ist kein Problem.
Das ist doch egal!
Es regnet.

Kleine Wörter
etwas
zum Beispiel
ein bisschen
mehr
oben

4

Beispiele

Das Wetter ist gut: *T-Shirt, joggen,*

Das Wetter ist schlecht: *Regenjacke, zu Hause chatten,*

5

Mein Wortschatz

Ich kann gut _____.

Ich fahre gern _____.

Ich gehe oft _____.

6

Berufe

1. Er arbeitet oft am Computer: zu Hause oder im Büro.

   Das ist ein _____.

2. Sie arbeitet zu Hause und macht viel für die Familie.

   Das ist eine _____.

3. Er arbeitet auf einem Fluss, auf einem See oder auf dem Meer.

   Das ist _____.

4. Er arbeitet auf dem Land und fast immer auch mit Tieren.

   Das ist _____.

Seite 24 KB, **1**

Wie heißen die Wörter? Schreiben Sie die Wörter mit Artikel.

1. reBg *der Berg*	5. trGaen _____	9. sieWe _____
2. Wdla _____	6. emGües _____	10. mauB _____
3. meBlu _____	7. stOb _____	11. lVgoe _____
4. ffSich _____	8. neeSch _____	12. llWee _____

7b

Schreiben Sie die Pluralformen in die richtige Spalte.

(")-	(")-e	-n	(")-er	kein Plural
	die Berge,			

 Seite 25 KB, **2-3**

Ergänzen Sie.

Zeitschriften | Leser | lesen | Thema | Seiten | kosten | Zum Beispiel

Erfolg am Zeitungskiosk

„Landlust", „Landidee" oder „Land und Berge". Es gibt mehr als 10 verschiedene _____ (1) – alle haben

die Natur als _____ (2) und alle sind Bestseller. Die Zeitschriften kann man 6 Mal im Jahr kaufen.

Sie _____ (3) ca. 4 Euro und haben ca. 150 _____ (4). _____ (5) die

Zeitschrift „Landlust": Ca. 1 Million Menschen kaufen sie regelmäßig. Wer sind die _____ (6)? Viele wohnen in der

Stadt, verdienen gut und sind zirka 40 bis 60 Jahre alt. Aber auch junge Menschen _____ (7) die Zeitschrift gern.

9

Was machen Sie wo? Schreiben Sie. Kreuzen Sie den Artikel an.

			der	das	die
1. schwimmen	*im*	Meer	☐	☐	☐
2. spazieren gehen		Strand	☐	☐	☐
3. essen		Restaurant	☐	☐	☐
4. trinken		Bar	☐	☐	☐
5. arbeiten		Garten	☐	☐	☐
6. die Ruhe genießen		Natur	☐	☐	☐
7. Tiere sehen		Berg	☐	☐	☐

10

Was gibt es, was gibt es nicht? Schreiben Sie Sätze.

1. Wiese (+) Wald (–)   *Es gibt eine Wiese, aber es gibt keinen Wald.*

2. Park (+) Garten (–) _____

3. Meer (+) Strand (–) _____

4. Strand (+) Ruhe (–) _____

5. Bäume (+) Blumen (–) _____

11  *Seite 26 KB, 4-5*

Was fehlt? Ergänzen Sie jedes vierte Wort.

1. Wir waren *u*_____ 9.00 Uhr oben auf *d*_____ Berg. Dort haben *w*_____ etwas gegessen und *get*_____.

   Wir waren ganz *ru*_____ und haben Tiere *ges*_____. Es war herrlich!

2. Heute habe ich *vi*_____ Fische gefangen. Das *i*_____ leider nicht jeden *T*_____ so. Die Arbeit

   *i*_____ hart, aber ich *mö*_____ keinen anderen Beruf *ha*_____.

3. Vor 5 *Ja*_____ haben wir auf dem Land *e*_____ Haus gebaut. Ich *b*_____ Hausfrau und habe *ei*_____ Garten.

4. Ich habe schon *u*_____ 5 Uhr im Weingarten *gea*_____. Es war ganz *ru*_____,

   nur die Vögel *ha*_____ gesungen.

12a

Finden Sie 10 Partizipien und schreiben Sie sie in die Tabelle.

G	E	S	A	G	T	L	G	E	S	U	N	G	E	N
I	G	E	A	R	B	E	I	T	E	T	T	S	G	I
V	E	C	X	N	N	F	G	L	S	H	V	O	G	N
R	S	M	M	G	U	O	N	U	Y	F	N	I	E	M
W	E	G	G	E	G	A	N	G	E	N	F	F	F	F
C	H	Y	E	B	F	S	D	J	D	H	R	D	A	S
P	E	Y	H	A	B	G	E	G	E	S	S	E	N	X
L	N	L	Ö	U	I	D	L	B	O	U	K	C	G	U
Q	R	G	R	T	H	G	E	T	R	U	N	K	E	N
H	T	I	T	V	G	W	X	I	W	R	F	U	N	Y

ge en	ge t
	gesagt,

12b

Ergänzen Sie die Fragen.

1. Hast du schon mal einen Fisch _____ ?

2. _____ ihr heute Morgen die Vögel gehört?

3. Habt ihr heute schon Obst _____ ?

4. _____ du heute schon ein Lied gesungen?

5. Haben Sie auch am Wochenende _____ ?

6. Seid ihr gestern ins Kino _____ ?

7. Haben Sie heute schon Kaffee _____ ?

8. Hast du heute schon Danke _____ ?

12c

Schreiben Sie Antworten zu den Fragen in 12b.

1. Nein, ich habe noch nie _____ .

2. Nein, wir wohnen in der Stadt. Wir _____ nicht.

3. Ja, wir _____ morgens immer _____ .

4. Ich kann nicht _____ .

5. Nein, ich habe am Wochenende _____ .

6. Nein, wir _____ heute ins Kino.

7. Nein, ich _____ immer Tee.

8. Ja, ich _____ beim Bäcker und habe _____ .

13a *Seite 27 KB, 6 - 8* *Track 12*

Wo sind die Leute gerade? Hören Sie und verbinden Sie.

Peter

Robert

Mia

13b

Hören Sie noch einmal. Schreiben Sie Sätze.

1. Peter ist im _____ und trinkt mit

   Freunden _____ .

2. Robert _____ mit den

   Kindern

   _____ und _____ .

3. Mia ist _____

   _____

14a

Kreuzen Sie an.

	wohin?	wo?
	von … zu …	ein Ort
gehen		
spielen		
essen		
fahren		
reisen		
sein		
wohnen		
arbeiten		
leben		

14b

Akkusativ oder Dativ? Ergänzen Sie.

1. Ich gehe _____ Strand. Ich esse _____ Strand.

2. Das Kind geht _____ Park. Es spielt _____ Park.

3. Ich gehe _____ Berg. Ich lebe _____ Berg.

4. Ich reise _____ Meer. Ich bin _____ Meer.

5. Wir fahren _____ See. Wir wohnen _____ See.

6. Sie geht _____ Garten. Sie arbeitet _____ Garten.

15

Wohin am Sonntag? Ergänzen Sie: in, an, auf.

1. Am Sonntag fahren wir _____ den Bodensee. Wir gehen _____ den Strand. Abends gehen wir _____ Restaurant und essen gut.

2. Wir fahren _____ die Berge. Wir klettern _____ einen Berg und genießen die Aussicht. Dann gehen wir _____ Dorf und essen ein

   Eis oder trinken Kaffee. Vielleicht fahren wir am Abend noch _____ den Fluss und gehen schwimmen.

3. Ich fahre _____ die Stadt. Ich gehe zuerst _____ Museum und dann gehe ich mit Freunden _____ Café. Am Abend gehen wir

   _____ Theater oder _____ Kino.

16a *Seite 28 KB, 9*

Notieren Sie alle Wörter aus dem Text im Kursbuch.

kalt

16b

Was kann man machen? Schreiben Sie.

Im Frühling kann man spazieren gehen. Man kann auch _____ und man _____ .

Im Sommer kann man _____ .

Im Herbst _____ .

Im _____ .

17a *Seite 29 KB, 10-12*

Lesen Sie und markieren Sie falsche Informationen.

Für viele Leute in Deutschland ist Radfahren kein Hobby, es ist ein Verkehrsmittel. In Deutschland haben zirka 71 Millionen Menschen ein Auto zu Hause. 41 Prozent der Deutschen fahren mehrmals pro Tag Rad. Radfahren ist gesund: Radfahrer sind aber oft krank. In Deutschland gibt es viele Radwege – in den Städten und auf dem Land. Pro Jahr fährt man in Deutschland viele Millionen Meter Rad.

17b

Korrigieren Sie: Notieren Sie die korrekten Sätze.

_____

_____

18

Eine Frage, zwei Antworten.
Ergänzen Sie müssen und können.

A: Machen Sie jetzt eine Pause?

B: Nein, ich _____ leider noch arbeiten.

C: Ja, wir _____ jetzt zusammen essen gehen.

A: Wollen wir in die Cocktailbar gehen?

B: Ich _____ nicht, ich habe kein Geld.

C: Ich _____ noch lernen. Vielleicht morgen.

A: Was macht ihr heute Abend?

B: Ich bin zu Hause. Wir _____ telefonieren.

C: Meine Oma ist krank, ich _____ sie besuchen.

19

Müssen oder können? Ergänzen Sie die E-Mail.

Lieber Tom,

ich bin jetzt schon acht Monate in Deutschland! Du hast mich gefragt: Was findest du überraschend? Also: Hier _____ man immer Rad fahren – das ist ganz ungefährlich, echt toll! Und alle haben ein Rad! Ich _____ leider noch immer den Bus nehmen – ich habe noch kein Fahrrad. Aber vielleicht _____ ich bald eins kaufen: Von meinem Groß-vater habe ich ein bisschen Geld bekommen. _____ du mich mal besuchen? Dann _____ wir eine Radtour machen! Du bist doch so sportlich … So, jetzt _____ ich wieder arbeiten. _____ du mir bitte bald wieder schreiben? Ich möchte so gern bald etwas von dir lesen ☺

Liebe Grüße

Deine Lisa

20a Track 13

Wo hören Sie die Sätze? Notieren Sie.

Da, das Schild. Fahrrad fahren ist hier verboten.

Das ist typisch. Fußball spielen ist hier verboten.

Nein, das Wasser ist zu kalt!

Sie dürfen hier nicht Musik hören.

20b

Was ist richtig? Kreuzen Sie an.

1. Das Kind darf hier nicht schwimmen.

2. Die Radfahrer möchten gern weiterfahren, aber sie dürfen ni

3. Musik ist erlaubt.

4. Der junge Mann darf Fußball spielen.

21a

Was ist erlaubt, was ist verboten? Kreuzen Sie an.

		erlaubt	verboten
im Park:	laut Musik hören,		✓
	spazieren gehen	✓	
am Strand:	joggen,	✓	
	tanzen	✓	
auf dem Radweg:	Fußball spielen,		✓
	Yoga machen		✓
im Fitnessstudio:	Wasser trinken,		✓
	essen		✓

21b

Schreiben Sie Sätze.

Im Park darf man *spazieren gehen*, aber man darf nicht

_____ .

Am Strand darf man _____

_____ .

Auf dem Radweg _____

_____ .

Im Fitnessstudio _____

_____ .

22

Sehen Sie die Schilder an. Ergänzen Sie die Dialoge.

playground

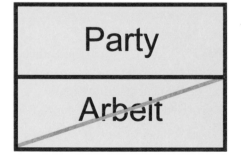

1. **A:** Mama, darf ich hier Fußball spielen?

B: Nein, hier darfst _du kein Fußball spielen_

A: _darf_ _____ der Hund auf die Wiese?

B: Nein, Hunde _dürfen nicht auf die Wiese_ .

A: Oma, _dürfen_ _____ Max und ich hier spielen?

B: Klar _dürft_ _____ ihr – das ist ein Spielplatz!

2. **A:** _Müssen_ _____ wir heute noch arbeiten?

B: Nein, du siehst doch, wir dürfen eine _Party machen_ !

C: Was heißt das? _Muss_ ich heute nicht mehr arbeiten? Ich _kann_

aber nicht auf eine Party gehen. Morgen _muss_ _____ alles fertig sein!

23  *Seite 31 KB, 16-17*

Was passt zusammen? Verbinden Sie.

1. Wie geht's dir?
2. Geht's dir gut?
3. Hast du Rückenschmerzen?
4. Fährst du heute auch Rad?
5. Gehst du heute auch joggen?

a. Nein, ich habe Kopfschmerzen.
b. Rad? Nein, heute kann ich nicht. Ich habe Rückenschmerzen.
c. Gut, danke.
d. Ja, leider. Ich habe zu viel Gartenarbeit gemacht.
e. Nein, ich mache Yoga – ich habe Kopfschmerzen. Machst du mit?

24a

Was passt? Ordnen Sie zu.

Fußball | Rad | Tennis | spazieren | Yoga | Inliner | zu Fuß | Skateboard | Sport

spielen   fahren   gehen   machen

24b

Was machen Sie (nicht)? Schreiben Sie.

☺
Ich spiele sehr gern Tennis.

Ich _____

😐
Ich fahre nicht so gern _____.

_____

☹
Ich mache nie Yoga.

_____

25a

Wie heißt der Infinitiv? Notieren Sie.

gemacht   *machen*

gelesen   _____

trainiert   _____

Rad gefahren   _____

geschlafen   _____

spazieren gegangen   _____

telefoniert   _____

25b

Was haben Sie gestern gemacht? Schreiben Sie.

Gestern habe ich _____.

Ich bin auch _____.

26a

Lesen Sie die SMS und markieren Sie die Partizipien.

1 Ins Theater gegangen: so toll!!!

2 Film: langweilig! Schon gesehen ☹

3 Im Fitnessstudio trainiert. Claudia war da!

4 Im Schnee Rad gefahren: so cool!!!

5 Mit Peter telefoniert. Bin müde!

26b

Schreiben Sie ganze Sätze.

1. Ich bin ins Theater _____. Das war so _____!
2. _____
3. _____
4. _____
5. _____

27a

Richtig schreiben. Finden Sie Wörter mit ee und mit eh.

DISCHNEEOVOMEERLVITSEHENOVPEMEHRVUEMHTEELCIGULEGEHENCIWLKAFFEEPWLSEEPOSEHRPH

ee: _____, _____, _____, _____, _____

eh: _____, _____, _____, _____, _____

27b

Ergänzen Sie ee oder eh.

Ich s___e das M___r nicht m___r.   G___ in die Küche und koche Kaff___ und T___.

Ich liebe den S___s___r.   Der Schn___ ist s___r schön.

28

Schreiben Sie einen Text nach dem Muster.

Aussicht

Da ist eine Wiese.
Auf der Wiese ist ein Baum.
Auf dem Baum ist ein Vogel.
Er singt.
Schön!

Straße, Platz, Fluss, Wald, Berg,
Strand, Kaufhaus, Garten, …
Autos, U-Bahn, Kinder, Fische,
Muscheln, Menschen, Blumen, …

laut, leise, bunt,
wunderbar, toll, …

schreien, lachen,
spielen, schwimmen,
…

29

Sie haben einen Tag frei: Was machen Sie? Schreiben Sie.

| Status | Foto | Ort | Lebensereignis |

Hallo Leute,

_____
_____
_____
_____

Stuttgart   Freunde ▾   **Posten**

30a *Track 14*

Ich- und Ach-Laute: Hören Sie die Beispiele.

  ach – ich   **das Bu*ch* – die Bü*ch*er**

30b *Track 15*

Hören Sie und sprechen Sie nach.

das Buch – die Bücher | die Nacht – die Nächte |
die Tochter – die Töchter | die Sprache – sprechen |
machen – möchte | noch – nicht

30c

Wie ist die Regel? Verbinden Sie bitte.

Nach *e, i, ä, ö, ü, ei,* *n, l, r* und in *-chen*	wie in la**ch**en, do**ch**, su**ch**en, …	spricht man ch als Ach-Laut.
Nach *a, o, u, au*	wie in re**ch**ts, sportli**ch**, Tö**ch**ter, Mil**ch**, Bröt**ch**en, …	spricht man ch als Ich-Laut.

30d

Ch-Rätselreime: Ergänzen Sie die Reime.
Markieren Sie die Ich- und Ach-Laute mit zwei Farben.

Wochen | Buch | Nacht | lachen | Besuch | Acht |
kochen | machen

Menschen schlafen in der _____. Nach der Sieben

kommt die _____. • Manchmal möchte man

nichts _____. Manchmal möchte man nur

_____. • Milch kann man _____.

Das Jahr hat 52 _____. • Am Mittwoch lese ich ein

_____, am Wochenende kommt _____.

30e   *Track 16*

Hören Sie die Lösung und sprechen Sie die Reime nach.

31a *Track 17*

R-Laute: Hören Sie die Beispiele.

ri*ch*tig, Rad, Brot   **Uhr, Winter**

31b *Track 18*

Hören Sie und sprechen Sie nach.

1. das Rad | der Regen | die Richtung | das Brötchen |
   das Frühstück | der Frühling | der Freitag | der Stress
2. die Uhr | vier | er | wir | der Sommer | der Winter |
   die Mutter | der Vater | die Tochter | erzählen | verboten

31c

Wie klingt R/r? Sortieren Sie die Wörter.

früh | frisch | Brot | leider | erlaubt | ihr | wer | nur |
fragen | hören | reisen | (der) Preis | das Bier | das Meer

R/r klingt wie in **Rad**: _____

r klingt wie in **Uhr** und **Winter**: _____

31d *Track 19*

Hören Sie die Wörter und sprechen Sie nach.

31e   *Track 20*

Alles verboten oder alles erlaubt? Hören Sie und markieren
Sie R/r wie in Rad und r wie in Winter mit zwei Farben.

Radfahren verboten! | Sprechen verboten! | Musik hören
verboten! | Fernsehen verboten! | Träumen verboten!

Radfahren erlaubt! | Sprechen erlaubt! | Musik hören
erlaubt! | Fernsehen erlaubt! | Träumen erlaubt!

31f

Hören Sie noch einmal und sprechen Sie nach.

①
Bildwörterbuch

der Schrank

08 Wohnen und leben

Nomen

das Hotelzimmer, -
das Studentenzimmer, -
das Einfamilienhaus, -äu-er
die Wohnung, -en
die Ferienwohnung, -en
die Zweizimmerwohnung, -en
die Miete, -n
die Mietwohnung, -en
der Norden (nur Sg.)
der Süden (nur Sg.)
der Westen (nur Sg.)
der Osten (nur Sg.)
das Angebot, -e
die Großstadt, -ä-e
der Einwohner, -
die Einwohnerin, -nen
der Bauernhof, -ö-e

der Wohnwagen, -
der Leuchtturm, -ü-e
das Baumhaus, -äu-er
das Hausboot, -e
der Nachbar, -n
die Nachbarin, -nen
die Dusche, -n
das Internet
der Koffer, -
die Maus, -äu-e
der Hund, -e
die Katze, -n
das Fenster, -
der Stuhl, -ü-e
der Tisch, -e
der Schreibtisch, -e
der Esstisch, -e
der Schrank, -ä-e

der Kühlschrank, -ä-e
die Decke, -n
das Kissen, -
das Kinderbett, -en
der Teddybär, -en
der Fernseher, -
das Sofa, -s
das iPad, -s
der/das Laptop, -s
das Arbeitszimmer, -
das Wohnzimmer, -
das Esszimmer, -
das Schlafzimmer, -
das Kinderzimmer, -
die Küche, -n
das Badezimmer, -
   (das Bad, -ä-er)
die Badewanne, -n

②
Assoziationen

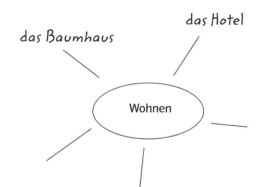

das Baumhaus

das Hotel

Wohnen

③
Beispiele

romantisch: _____

groß: _____

klein: _____

④
Artikel

Mit wem wohnst du? Bei wem wohnst du?

mit meinem Hund, ...
mit meinem Kind, ...
mit meiner Familie, ...
bei meinen Eltern, ...

die Toilette, -n
die Lampe, -n
das Licht, -er
die Nationalität, -en
das Interesse, -n
die Adresse, -n
der Wohnort, -e
die Hausnummer, -n
die Pflanze, -n
der Fotoapparat, -e
die Kaffeemaschine, -n
das Geschenk, -e
das Ding, -e
das Lieblingsding, -e
die Nachricht, -en

Verben

mieten
hinfahren, fährt hin
brauchen
nerven
baden
riechen
anmachen, macht an
mitnehmen, nimmt mit
abholen, holt ab

Präpositionen

bei + Dat.
mit + Dat.
ohne + Akk.
für + Akk.

Adjektive

romantisch
voll
stark
heiß
groß
klein
schwierig
furchtbar
schmutzig
sauber

Fragewörter

bei wem?
mit wem?

Zahlen

(ein)hundert, zweihundert,
dreihundert, …
zweihunderteins, zweihun-
dertzwei, zweihundertdrei, …
(ein)tausend, zweitausend,
dreitausend, …

Wendungen

Wirklich!
Ich hab dich lieb.
Mein Handy ist weg.
Meinen Fotoapparat habe
ich immer dabei.

5

Fragen und Antworten

1. Bei _____?
Wir wohnen bei unseren Eltern.

2. _____?
Ich wohne hier mit meinem Freund.

3. _____ die Küche?
Sie ist klein, aber schön.

4. _____?
Ich lebe auf einer Insel.

6

Wörter bauen

1.
Fernseh-
Aussichts-
Leucht-

2.
Baum-
Miets-
Einfamilien-

3.
       -zimmer
       -wagen
       -gemeinschaft

4.
Bade-
Kinder-
Studenten-

100	200	300	400	500	600	700	800	900	100

fünfhundertfünfzig

 7 *Seite 36 - 37 KB, 1-3*

Ergänzen Sie die Zahlen oben.

sechshundertzwanzig, dreihundertneunzig, hunderteins, vierhundertneunundneunzig, zweihundertvierzig, achthundertacht, tausend

8

Ergänzen Sie.

sehr teuer | teuer | günstig | sehr günstig

1300 EUR für eine Wohnung! So viel? – Das ist _____.

Nur 320 EUR für eine Wohnung? – Das ist _____.

Was? Eine Wohnung für 265 EUR? So wenig? Das ist _____.

650 EUR für eine Wohnung – das ist nicht sehr _____, aber auch nicht _____.

9 *Track 21*

Welche Zahl hören Sie?
Kreuzen Sie an.

1. ☐ 220 oder ☐ 202?
2. ☐ 323 oder ☐ 330?
3. ☐ 514 oder ☐ 540?
4. ☐ 249 oder ☐ 294?
5. ☐ 409 oder ☐ 499?
6. ☐ 1000 oder ☐ 10000?

10

Wo liegen die Städte? Ergänzen Sie.

im Norden | im Süden | im Osten | im Westen

1. Hamburg und Bremen sind Städte _____.

2. München ist eine Großstadt _____.

3. Leipzig und Dresden sind _____.

4. Köln und Bochum sind Städte _____.

11 *Track 22*

Hören Sie die Studenten. Ergänzen Sie die Mietpreise und die Wohnorte.

	Hannes	Finja	Patrick	Tina und Oliver	Oskar
Ort	*Hamburg*				
Preis	*431 EUR*				

 12

Freiburg in Zahlen. Ergänzen Sie.

Die Unistadt Freiburg liegt in Süddeutschland. Die Stadt ist nicht groß, sie hat 218.000 *Einw_____*. Die Universität Freiburg hat

24.721 *Stu_____*. Das Kulturangebot ist groß: Es gibt 28 *The_____*, 18 *Mus_____* und 9 *Kin_____*. Viele Touristen

kommen nach Freiburg – es gibt 61 *Hot_____* und 133 *Res_____*. Die Sonne scheint sehr viel: Freiburg hat 1740 *Sonn_____*

im Jahr. Freiburg ist eine Fahrradstadt: Die Stadt hat 160 km *Radw_____*.

Seite 38 KB, 4

13

Ergänzen Sie: auf oder in?

1. Ich lebe _____ einer Insel und ich wohne _____ einem Leuchtturm. Das ist total toll! Ich kann _____ alle Richtungen sehen – und überall nur Meer!

2. Ich lebe _____ einer Wohngemeinschaft. Das ist kein Traum ... Mein Traum ist Wohnen _____ einem Baumhaus. Da zahle ich keine Miete und meine Nachbarn sind die Vögel.

3. Im Moment lebe ich _____ der Stadt _____ dem Wasser, _____ einem Hausboot. Aber ich möchte lieber _____ dem Land, _____ einem Bauernhof leben: Ich habe viele Tiere, mein Essen kommt aus meinem Garten. Voll romantisch!

4. Wir leben seit zwei Monaten _____ einem Wohnwagen. Das ist so spannend. Wir können überall hinfahren und haben immer unser Bett dabei und müssen nicht _____ Hotelzimmern wohnen. Heute wachen wir _____ der Natur auf und morgen _____ der Großstadt ... genial!

14a

Was passt? Verbinden Sie. Ergänzen Sie die Artikel.

Wohn-	Wohnung _____
Baum-	Zimmer _____
Ferien-	Haus _____
Zweizimmer-	Gemeinschaft _____
Einfamilien-	Boot _____
Leucht-	Turm _____
Hotel-	Wagen _____
Haus-	

14b

Sortieren Sie die Wörter aus 14a.

Ich wohne

in einem ...	in einer ...

15

Wo wohnen die Personen? Ergänzen Sie.

1. „Ich wohne am Meer. Ich kann von oben alles sehen." *in einem* _____

2. „Wir können überall hinfahren und wir haben immer ein Bett dabei." *in* _____

3. „Ich bin beruflich viel auf Reisen. Ich schlafe jede Nacht in einer anderen Stadt." _____

4. „Wir sind nie allein. Das Leben zusammen ist voll lustig!" _____

5. „Ich wohne auf dem Land. Mit vielen Tieren. Ich liebe die Natur." *auf* _____

16

Was passt nicht? Markieren Sie.

1. Hausboot | Tiere | Wohnwagen | Wohngemeinschaft
2. Nachbar | Großstadt | Mietwohnung | Natur
3. Baumhaus | Universität | Studentenzimmer | Student
4. Insel | Nordsee | Miete | Meer

17 *Seite 39 KB, 5-7*

Ein Haus am Meer. Ergänzen Sie: in, mit, am.

Ich wohne _____ einem Strandhaus _____ Meer zusammen _____ meiner Familie. Ich liebe die Natur, die Ruhe und das Meer.

Jeden Abend und jeden Morgen höre ich die Wellen und gehe _____ unserem Hund _____ Strand spazieren – ein Traum!

18a

Wie wohnen Jan und Eva? Ergänzen Sie.

Bruder
Schwester
Eltern
Freunde

Mann
Kinder
Hund

Jan lebt noch bei _seinen_ _Eltern_ .
Er wohnt zusammen mit _seinem_
Bruder Karl und mit _seinem_
Freunde Hanna in einer Wohnung.
Er möchte später mit _seiner_
Schwester in einer WG leben.

Eva wohnt mit _ihrem_ _Mann_
und mit _ihren_ _Kinder_
in einem Haus am Wald. Mit _ihrem_
Hund geht sie oft im Wald
spazieren.

18b

Sie sprechen mit ihnen. Ergänzen Sie.

Jan, du wohnst bei _deiner_ Mutter
und _deinem_ Vater. Du lebst mit
der ganzen Familie zusammen, auch
mit _deiner_ Schwester und
deinem Bruder. Wo möchtest du
später wohnen?

Eva, du lebst mit _deinem_
Mann und _deinen_ Kindern
in einem Haus am Wald. Du gehst
oft mit _deinem_ Hund im Wald
spazieren. Wohnst du gern hier?

19

Formulieren Sie Sätze.

1. „Ich wohne bei meinem Vater."   Er wohnt bei seinem _Vater_ .
2. „Ich lebe mit meinen Arbeitskollegen."   Sie lebt mit ihren _Arbeitskollegen_
3. „Ich wohne bei meinen Eltern."   Er _wohnt bei seinen Eltern_
4. „Ich wohne mit meinem Freund zusammen."   Sie _wohnt mit ihrem Freund zusammen_
5. „Ich lebe mit meiner Frau."   Er _____
6. „Wir wohnen bei unserem Opa."   Sie _____ ihrem Opa.
7. „Wir wohnen mit unseren Tieren."   Sie _____

20

Was passt zusammen? Bilden Sie Sätze.

Sie		mit seinen Tieren	bei ihren Eltern.
Wir	wohne	mit ihren Freunden	bei meiner Tante.
Er	wohnst	mit deiner Maus	bei ihrem Onkel.
Ich	wohnt	mit ihrem Kind	bei seinen Großeltern.
Du	wohnen	mit meinem Hund	in deinem Haus.
Ihr		mit unseren Töchtern	bei eurem Vater.
Sie		mit eurer Katze	bei unseren Freunden.

21 Seite 40-41 KB, 8-10

Rätsel. Wie heißen die Dinge?

1.
2.
3.
4.
5.
6.
7.

```
        1.
2.
   3.
    4.
 5. E  S  S  T
6.
    7.
```

Lösungswort: _____

22

Ergänzen Sie.

Meine Wohnung hat sechs _____ und in den sechs Zimmern lebe ich immer.

Im _____, da arbeite ich immer.

Im _____, da bade ich immer.

Im _____, da schlafe ich immer.

Im _____, da wohne ich immer.

Im _____, da esse ich immer.

Und in einem _____, da ist kein Licht.

Da wohne ich nicht!

23a

Wo ist was? Ordnen Sie zu und schreiben Sie Sätze.

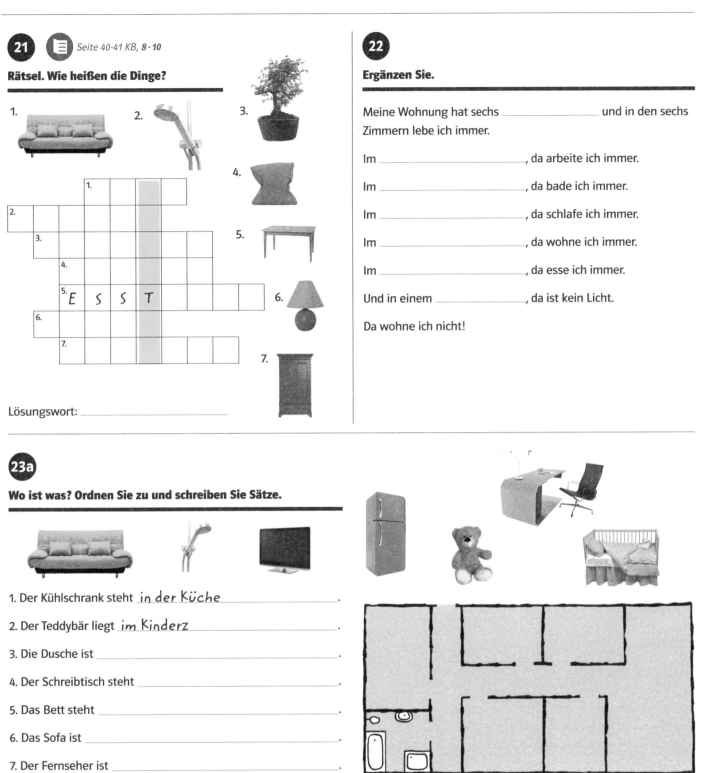

1. Der Kühlschrank steht *in der Küche* _____.

2. Der Teddybär liegt *im Kinderz* _____.

3. Die Dusche ist _____.

4. Der Schreibtisch steht _____.

5. Das Bett steht _____.

6. Das Sofa ist _____.

7. Der Fernseher ist _____.

23b Track 23

Was ist noch in der Wohnung? Hören Sie und schreiben Sie.

Im Esszimmer stehen *ein* _____ *und vier* _____. Es gibt viele _____.

_____ liegt auf _____ im Arbeitszimmer.

Im Kinderzimmer sind _____.

Seite 42 KB, 11-13

24

Was ist das? Notieren Sie.

1. Ich mache ihn jeden Abend an, dann sehe ich bunte Bilder. Ein

   Abend ohne ihn ist furchtbar. _____

2. Ich brauche sie jede Nacht. Im Sommer und im Winter. Ohne

   sie kann ich nicht schlafen. ___

3. Ich habe es immer dabei. Ich suche es oft und kann ohne es

   nicht sein._____

25

Ergänzen Sie ihn, es, sie.

Ich liebe _____ . Wirklich! Ohne _____ kann ich
den Tag nicht beginnen.

meine Kaffeemaschine

Ich finde _____ ganz toll und nehme _____ jeden
Tag mit. In die Uni, in den Park, ins Museum, …

mein Fotoapparat

Ich brauche _____ immer. Morgens zum Zeitung-
lesen, bei der Arbeit oder zum Surfen. Ich finde
_____ sehr wichtig!

mein Laptop

26a

Was brauchen Sie? Was brauchen Sie nicht? Sortieren Sie.

das Internet | das Kissen | die Pflanze | der Schnee |
der Regen | das iPad | die Badewanne | das Auto |
der Koffer | der Lippenstift | die Brille | die Toilette

Ich brauche …

ihn	es	sie

Ich brauche … nicht.

ihn	es	sie

26b

Fragen und Antworten: Verbinden Sie.

1. Wo ist mein iPad?   a. Ja, ich mag es.

2. Wo ist meine Brille?   b. Nein, ich höre ihn nicht.

3. Siehst du die Pflanze?   c. Nein, ich sehe sie nicht.

4. Magst du das Auto?   d. Ich habe sie nicht gesehen.

5. Hörst du den Regen?   e. Hier ist es.

27

Beantworten Sie die Fragen.

1. Hast du das Wohnzimmer schon gesehen? – *Nein, ich habe es noch nicht gesehen.*

2. Suchst du den Laptop? – *Ja, ich* _____.

3. Wie findest du die Decke? – *Ich finde* _____.

4. Hast du mein Handy gesehen? – *Nein,* _____.

5. Magst du die Pflanzen? – *Ja,* _____.

28 *Seite 43 KB, 14*

Ergänzen Sie.

sie | dich | Sie | uns | mich | euch | sie | es | ihn

ich	
du	
er	
sie	
es	
wir	
ihr	
sie	
Sie	

29

Was passt? Ordnen Sie zu.

Willst du es? | Ich nehme euch mit. | Ja, ich heirate dich! | Holt uns bitte ab. | Ruf mich an!

1.

| Du bist toll! _____ |
| _____ |

4.

| Wir müssen sprechen! |
| _____ |

2.

| Ich verkaufe mein Rad. |
| _____ |

5.

| Wir kommen um 22 Uhr an. |
| _____ |

3.

| Ich fahre mit dem Auto. |
| _____ |

30

Ergänzen Sie die Nachrichten.

1 Der Koffer steht hier schon eine Woche. Wer packt _____ aus?

2 Wir brauchen Brot! Wer kauft _____?

3 Wo sind meine Gummibärchen? Wer hat _____ gegessen?

4 Tina hat Stress! Ruf _____ an!

5 Du hast mein Eis gegessen. Ich kenne _____!

31

Antworten Sie.

1. Hörst du mich? Ja, _____.

2. Hörst du den Hund? Nein, _____.

3. Hörst du das Baby? Ja, _____.

4. Hörst du die Katze? Nein, _____.

5. Hörst du die Kinder? Ja, _____.

32

Welches Verb passt? Ergänzen Sie.

1. Wir _____ die Wohnung. (wohnen / mieten)

2. Ich _____ eine Brille. (brauchen / lesen)

3. Wir _____ euch am Bahnhof _____ . (abholen / ankommen)

4. _____ du den Hund? (mögen / spielen)

5. Ich _____ keinen Fernseher. (fernsehen / haben)

33

Richtig schreiben. Ergänzen Sie p oder b, k oder g, t oder d.

1. Ich ___ rauche am Abend ein ___ uch und eine ___ adewanne, mein i- ___ ad und eine Lam ___ e, ein ___ ier und meine Nach ___ arn.

2. Ich ma ___ am Sonnta ___ einen ___ affee in der ___ üche, ein ___ issen und meine ___ atze oder Familien ___ lück im ___ arten.

3. Ich ___ räume vom Arbei ___ en auf dem Lan ___ , von einer ___ usche und Obs ___ im Gar ___ en, ohne Interne ___ und Han ___ y.

34

Ergänzen Sie Ihr „Wortbild".

35

Meine Straße. Schreiben Sie einen Text.

MEINE	Schön ist meine Straße	MEINE	S
	Tage, Stunden kann ich hier stehen und alles sehen		T
	Ruhig ist es, nicht laut		R
	Autos gibt es nicht		A
	Sonntags spielen Kinder		S
	Schön ist es		S
	Es ist mein Zuhause		E

36

Ich und meine Wohnung. Schreiben Sie.

teuer, klein, schön, leise, ...

Wohnzimmer, Küche, Badezimmer, ...

Sofa, Fernseher, Bett, Badewanne, ...

Ich heiße _____.

Ich wohne in _____ mit _____.

Ich zahle _____ Miete. Meine Wohnung ist _____

In meinem _____ steht _____

Track 24

Rhythmus in Wortgruppenketten: Hören Sie das Beispiel.

Ich**woh**ne mitmeinem**Freund,** / mitmeiner **Freun**din, / mitmeiner**Tan**te / und mitieiner **Maus** / ineinem **Haus**.

  Track 25

Hören Sie und sprechen Sie nach. Sprechen Sie in den Wortgruppen die Wörter zusammen, ohne Pause.

Ich **ge**he mit meiner **Schwes**ter, / mit meinem **Bru**der, / mit meiner **Mut**ter / und mit meinem **Va**ter / ins The**a**ter.

Ich **fah**re mit meiner **Tan**te, / mit meinem **Freund**, / mit meiner **O**ma / und mit meinem **O**pa / nach Eur**O**pa.

Ich **rei**se mit meiner **Freun**din, / mit meiner **Tan**te, / und mit meinem **Freund** / nach Ber**lin** / und nach **Wien**.

37c

Sprechen Sie die Sätze wie in 37b.
Verwenden Sie die Wortgruppen.

1. Ich wohne … in einem Haus.   3. Ich fahre … nach Berlin.
2. Ich gehe … ins Kino.   4. Ich reise … nach Wien.

mit meiner **Schwes**ter	mit meinem **Bru**der	mit meiner **Mut**ter	mit meinem **Va**ter
mit meinem **Freund**	mit meiner **Freun**din	mit meiner **O**ma	mit meinem **O**pa
mit meiner **Tan**te	mit meinem **Kind**	mit meinem **Hund**	mit meiner **Kat**ze

  Track 26

Starke und schwache Konsonanten: Hören Sie die Beispiele.

Paar – Bar

Tier – dir

Karten – Garten

  Track 27

Hören Sie und sprechen Sie nach.

1. Paar – Bar | Pizza – Bier | Park – Bad | Party – baden
2. Tier – dir | Tag – das | Tee – der | Turm – Durst
3. Karten – Garten | kalt – gut | klein – groß | kennen – gehen

  Track 28

Hören Sie die Wörter und ergänzen Sie die Regeln.

der Hun**d** – die Hun**d**e | der Ta**g** – die Ta**g**e |
das Kin**d** – die Kin**d**er | der We**g** – die We**g**e |
das Ba**d** – die Bä**d**er | das Ver**b** – die Ver**b**en |
das Ra**d** – die Rä**d**er | das Lan**d** – die Län**d**er

b, d, g am Wortende (z. B. Verb) spricht man wie
☐ b, d, g   ☐ p, t, k
B / b, D / d, G / g am Wort- und Silbenanfang (z.B. Hun-de) spricht man wie
☐ b, d, g   ☐ p, t, k

38d

Hören Sie noch einmal und sprechen Sie nach.

  Track 29

Hören Sie die Namen und ergänzen Sie B, D, G, P, T, K.

1. Frau ____oller _____
2. Frau ____oller _____
3. Frau ____oller _____
4. Frau ____oller _____
5. Frau ____oller _____
6. Frau ____oller _____

38f

Was braucht Frau …? Ergänzen Sie in 38e. Die Konsonanten am Anfang müssen zusammenpassen.

Frau **K**oller braucht einen **K**offer.

eine Postkarte | einen Ball | eine Tasche | eine Dusche | einen Koffer | einen Garten

  Track 30

Hören Sie die Lösung und sprechen Sie nach.

1
Bildwörterbuch

die Mütze

09 .... Teilen und tauschen

Nomen
der Trend, -s
die Kleidung (nur Sg.)
der Schmuck (nur Sg.)
der Schuh, -e
die Unterwäsche (nur Sg.)
die Sportsachen (nur Pl.)
die Waschmaschine, -n
das Werkzeug, -e
das Bankkonto, -konten
das Passwort, -ö-er
das Wissen (nur Sg.)
das Mobiltelefon, -e
das Smartphone, -s /
   das iPhone, -s
der Automechaniker, -
die Sonnenbrille, -n
die Kette, -n

das Kleidungsstück, -e
die Hose, -n
die Badehose, -n
die Jogginghose, -n
die Jeans, -
der Gürtel, -
die Jacke, -n
der Mantel, -ä-
der Regenmantel, -ä-
die Mütze, -n
der Schal, -s
der Handschuh, -e
das Kleid, -er
der Rock, -ö-e
die Bluse, -n
das Hemd, -en
der Anzug, -ü-e
die Krawatte, -n

der Laufschuh, -e
der Strumpf, -ü-e
die Socke, -n
die Farbe, -n
das Netzwerk, -e
die Fähigkeit, -en
der Lehrer, -
die Lehrerin, -nen
der Unterricht
die Gymnastikübung, -en
das Computerprogramm, -e
das Rezept, -e
der Tipp, -s
der Brief, -e
das Märchen, -
das Bild, -er

2
Mein Wortschatz

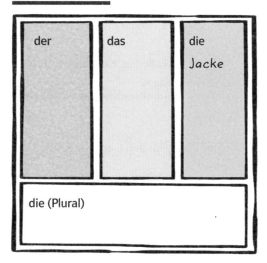

der | das | die
Jacke

die (Plural)

3
Beispiele

 gelb: die Sonne, die Banane, _____

weiß: der Schnee, _____

rot: der Ketschup, _____

blau: _____

grün: _____

schwarz: _____

braun: _____

Verben	Adjektive		Kleine Wörter
teilen	kommunikativ	weit	fast
tauschen	korrekt	rot	okay
übrigbleiben, bleibt übrig	praktisch	grün	zum Schluss
geben, gibt	ökologisch	gelb	
gefallen, gefällt	sozial	schwarz	**Wendungen**
stehen (Kleid)	modern	weiß	Das ist okay.
passen	perfekt	grau	Das geht gar nicht.
anprobieren, probiert an	echt	braun	Ich finde das wichtig.
reparieren	kaputt	lila	Für mich ist das normal.
helfen, hilft	dumm		Das gefällt mir.
zeigen	altmodisch	**Indefinitpronomen**	Die Farbe steht dir gut.
kennenlernen, lernt kennen	elegant	niemand	Tut mir leid.
verbessern	schick	wenige	Ich habe Glück!
schenken	kurz	viele	Willkommen!
hinunterfallen, fällt hinunter	eng	alle	
		jeder	

 4

Gegensätze

modisch ↔ _____

weit ↔ _____

lang ↔ _____

unpraktisch ↔ _____

unsozial ↔ _____

modern ↔ _____

kommunikativ ↔ _____

 5

Fragen und Antworten

1. _____ teilt ihr?

_____ Garten.

2. _____ ?
Nein, das Kleid gefällt mir nicht.

3. _____ ?
Ja, mir passt die Hose.

4. _____ schenkst du den Fußball?

_____ dem Kind _____ .

5. _____ ?
Ja, ich helfe dir gern.

6 Seite 48-49 KB, **1-2**

Wie heißen die Wörter richtig? Schreiben Sie Wörter mit Artikel.

~~Sport~~-konto	_die Sportsachen_	Zahn-wäsche	
Kühl-maschine		Unter-wort	
Wasch-schrank		Bank-zeug	
Werk-top		Mobil-bürste	
Pass-~~sachen~~		Lap-telefon	

7

Ergänzen Sie.

die Idee | das Wissen | die Arbeit | die Erfahrung | das Passwort | das Bankkonto

1. Ich weiß leider mein _____ für den Computer nicht mehr.

2. Grammatik ist leicht. Das ist meine _____.

3. Ich will einen Song schreiben. Ich denke und denke, aber ich habe keine _____.

4. Paul hat wenig Freizeit. Er hat viel _____ und sitzt immer im Büro.

5. Im Portmonee ist kein Geld. Aber auf dem _____.

6. Er kann viel. Aber er weiß nichts. Man braucht auch _____.

8a

Ordnen Sie die Sätze zu.

Niemand teilt. | ~~Alle teilen.~~ | Wenige teilen. | Fast alle teilen. | Fast niemand teilt. | Viele teilen.

100 % = _Alle teilen._	96 % = _____	4 % = _____
23 % = _____	82 % = _____	0 % = _____

8b

Ergänzen Sie: alle, viele, wenige, niemand.

1. Viele Leute haben ein Auto. Aber nur _____ brauchen ihr Auto jeden Tag.

2. _____ steht gern lange an der Haltestelle.

3. Fast alle Leute können Fahrrad fahren. Aber nicht _____ fahren auch im Winter Fahrrad.

4. _____ möchte krank sein. _____ wollen gesund bleiben.

9 📄 *Seite 50 KB, 3 - 5*

Geteilte Wörter. Verbinden Sie.

lem ro Freun Gar Ar
to Au
de Prob
zeug Ge
sen Es
tränk Bü
beit ten Werk

Freunde _____ _____ _____

_____ _____ _____

_____ _____ _____

10

Ergänzen Sie.

Wer	teilt	den Garten	das Essen	die Wurst	die Getränke?
ich	teile	meinen Garten			
du	teilst		dein Essen		
er	teilt				
es	teilt				
sie	teilt				
wir	teilen				
ihr	teilt			eure Wurst	
sie	teilen				ihre Getränke
Sie	teilen				

11a 🔊 *Track 31*

Was teilen die Personen? Hören und verbinden Sie.

1. Ahmet teilt
2. Linda und Luca teilen
3. Paul und Peer teilen
4. Aylin teilt
5. Anne teilt
6. Niels teilt

a. seine Freunde.
b. ihren Kaffee.
c. sein Auto.
d. ihren Hund.
e. ihre Arbeit.
f. ihre Probleme, ihre Träume.

11b

Warum? Hören Sie noch einmal und ergänzen Sie.

Ahmet: Das ist bi_____ und öko_____.

Linda und Luca: Teilen macht das Leben schö_____.

Paul und Peer: Das ist lei_____.

Aylin: Teilen ist kom_____.

Anne: Das ist g_____ für alle.

Niels: Das ist mod_____.

11c

Wie heißen die Adjektive? Ergänzen und sortieren Sie.

kom_____ , pünkt_____ , mut_____ , posit_____ , gefähr_____ , sympath_____ , neugier_____ , kommunikat_____

-lich	-ig	-isch	-iv
glücklich	billig	praktisch	kreativ

12 *Seite 51 KB, 6-7*

Was teilt Ben und was nicht? Schreiben Sie Sätze.

Ben teilt seinen Hund,

Er teilt nicht

13

Markieren Sie die Nomen im Akkusativ.

1. Ich habe meine Fotos auf dem iPhone.
2. Wir teilen unser Elternhaus, unseren Garten, unseren Hund.
3. Ich habe mein Auto verkauft.

4. Wie oft braucht ihr eure Autos?
5. Wir brauchen unsere Autos jeden Tag.
6. Teilen wir unseren Cocktail?

14a

Was sagt Ben über seine Fotos? Ergänzen Sie meinen, mein, meine.

Das ist *mein* (1) Bruder. Kennst du *meinen* (2) Bruder? Und kennst du *meine* (3) Schwester? *Meine* (4) Schwester

heißt Melissa. Das ist *meine* (5) Stadt – Hamburg! Und hier ist *mein* (6) Haus. Magst du *mein* (7) Haus und

meinen (8) Garten? Das ist *mein* (9) Mercedes. *Meinen* (10) Mercedes fahre ich nur am Wochenende.

14b

Akkusativ oder nicht Akkusativ? Markieren Sie in 14a alle Nomen im Akkusativ.

15

Fragen und Antworten. Verbinden Sie.

1. Wie oft braucht ihr eure Werkzeuge?
2. Wie oft brauchst du dein Fahrrad?
3. Wie oft brauchst du deine Uhr?
4. Wie oft braucht ihr euren Mercedes?
5. Wie oft brauchen deine Eltern ihr Auto?
6. Wie oft brauchst du deinen Chef?

a. Ich brauche es jeden Tag.
b. Ich brauche sie immer.
c. Wir brauchen ihn nicht oft.
d. Wir brauchen sie einmal im Monat.
e. Ich brauche ihn nicht oft.
f. Sie brauchen es jeden Tag.

16

Viele Namen für ein Ding. Wie heißen die Wörter? Ergänzen Sie.

das   dy   das Mobil   das *iPhone*   das Smart

17 *Seite 52-53 KB, 8-10*

Was ist das? Notieren Sie die Wörter mit Artikel.

1. _____ 2. _____ 3. _____ 4. _____

5. _____ 6. _____ 7. _____ 8. _____

18

Welches Wort passt nicht?

1. das T-Shirt – die Socken – das Hemd – die Bluse
2. der Anzug – das Hemd – das Kleid – die Krawatte
3. die Strümpfe – die Schuhe – die Socken – der Rock
4. die Laufschuhe – die Jogginghose – die Jeans – die Badehose
5. altmodisch – elegant – hässlich – langweilig

19

Wie heißen die Farben? Schreiben Sie.

b n _____

b u _____

g u _____

g n _____

r t _____

s z _____

w ß _____

l  a _____

g  b _____

20a

Gefällt, steht oder passt? Lesen Sie und ergänzen Sie.

1. **A**: Guck mal, der Rock _____ mir.

   B: Ja, der Rock ist schön, aber zu lang.

2. **B**: Die Bluse _____ dir gut.

   A: Danke, aber sie ist zu weit.

   B: Hm, ja, das stimmt. Schade.

3. **C**: Die Hose _____ mir.

   D: Echt? Mir _____ sie nicht. Ich finde sie langweilig.

4. **C**: Das Kleid _____ dir. Und es _____

   dir gut.

   B: Danke. Es ist perfekt, nicht zu eng und nicht zu weit.

   Das nehme ich.

5. **C**: Und wie _____ dir die Jeans?

   B: Ja, sie _____ mir, aber sie _____ dir

   nicht, die ist zu kurz.

   C: Ja, stimmt.

20b   *Track 32*

Hören Sie und kontrollieren Sie Ihre Lösung.

21  *Seite 54 KB, 11*

Ergänzen Sie die richtige Verbform von helfen und geben.

1. Ich _helfe_ dir. Ich _gebe_ dir mein Fahrrad.

2. Du _hilfst_ mir sehr. Du _gibst_ mir Tipps. Die sind gut.

3. Er _hilft_ mir. Er _gibt_ mir Arbeit. Das ist nett.

4. Klar. Wir _helfen_ dir. Wir _geben_ dir Geld für Essen und Wohnung.

5. Ihr _helft_ mir heute das Auto? Danke. Ihr _gebt_ mir sehr.

6. Kein Problem! Die Nachbarn _helfen_ dir. Sie _geben_ dir Stühle.

 22a

Was passt zusammen? Verbinden Sie.

1. Ich helfe den Menschen bei Rückenschmerzen.
   Im Moment zeige ich Martina Gymnastikübungen.

2. Ich bin Lehrerin. Ich gebe Nila Deutschunterricht.

3. Ich komme aus Indonesien und ich koche sehr gern –
   zum Beispiel mit Jens.

4. Ich kenne mich gut mit Computern aus. Im Moment helfe
   ich Olivia.

5. Ich kann gut tanzen, vor allem Salsa. Und ich gebe auch
   Portugiesisch-Unterricht.

a. Genau. Mein Deutsch ist noch nicht perfekt, aber
   Martina hilft mir. Das ist gut.

b. Ja, Nila kann toll kochen. Sie zeigt mir immer neue
   Rezepte. Echt lecker. Wir kochen zusammen, das
   macht Spaß.

c. Genau. Ich habe ein neues Computerprogramm und
   Jens zeigt mir das.

d. Und Olivia hilft mir wirklich sehr. Ich habe nicht mehr
   so oft Rückenschmerzen.

e. Oh, das habe ich nicht gewusst. Kannst du mir auch
   Portugiesisch-Stunden geben? Ich fahre im Sommer
   nach Brasilien.

 22b *Track 33*

Hören Sie und kontrollieren Sie Ihre Lösung.

 22c

Markieren Sie: helfen, geben, zeigen + mir / dir.

 23

Mir oder dir? Ergänzen Sie.

1. Hilfst du _____ ? – Ich kann _____ leider auch nicht helfen.

2. Zeig _____ bitte die Fotos! – Klar, ich zeige sie _____ gern.

3. Wer gibt _____ Tipps? – Frag doch deine Freunde, sie helfen _____ immer.

4. Du kaufst _____ den Schal? Das ist wirklich nett von _____ .

5. Gibst du _____ deine Telefonnummer? Ich rufe dich an.

24a  *Seite 55 KB, 13*

Welcher Satz passt? Kreuzen Sie an.

☐ Die Frau schenkt dem Chef das Auto.

☐ Der Chef schenkt der Frau das Auto.

☐ Der Freund gibt der Frau das Fahrrad.

☐ Der Freund gibt dem Fahrrad die Frau.

☐ Das Kind gibt der Frau die Schuhe.

☐ Das Kind gibt den Schuhen die Frau.

☐ Die Frau gibt der Studentin den Fotoapparat.

☐ Die Studentin gibt der Frau den Fotoapparat.

24b

Wem? Wer? Was? Formulieren Sie Fragen.

Wer schenkt _____? – Der Chef.   Der Chef   schenkt   der Frau   das Auto.

_____? – Der Frau.

_____? – Das Auto.

 25a

Wer gibt wem was? Ergänzen Sie.

Der Mann gibt *der* Frau _____ Blumen.

_____ Frau gibt _____ Kind _____ Eis.

_____ Kind gibt _____ Hund _____ Wurst.

_____ Hund gibt _____ Mann _____ Tennisball.

25b

Schreiben Sie die Wörter aus 25a in die Tabelle.

Nominativ: Wer?	Dativ: Wem? / Was?	Akkusativ: Wen? / Was?
der Mann	der Frau	

 26

Schreiben Sie Fragen und Antworten.

1. wem / geben / du / Deutschunterricht? // Kind _Wem gibst du Deutschunterricht? Ich gebe dem Kind Deutschunterricht._

2. wem / helfen / du / im Garten? // Freundin _____

3. wem / zeigen / er / die Werkzeuge? // Freund _____

4. wem / helfen / die Großmutter? // Enkel (Pl.) _____

27a *Track 34*

Richtig schreiben: kurze oder lange Vokale?
Hören Sie und schreiben Sie.

1. e oder eh?   er st____t, er sch____nkt
2. ä oder äh?   es ist gef____rlich, es gef____llt mir
3. u oder uh?   Sch____, T____rm
4. ü oder üh?   Str____mpfe, K____lschrank
5. o oder oh?   S____n, S____nne

27b

Wann ist der Vokal kurz? Wann ist er lang?
Ergänzen Sie die Regel.

Vokal + h = _____

Vokal + 2 gleiche Konsonanten (z. B. tt, ll, nn) = _____

28

Was packen Sie in Ihren Koffer? Warum? Schreiben Sie.

Ich nehme meine Jeans mit. Sie ist eng und sie steht mir gut.

Ich nehme _____ mit.

_____

_____

_____

29

Schreiben Sie selbst ein Geben-und-Nehmen-Märchen .

Wer schenkt oder gibt wem was? Warum? Wie endet das Märchen? Die Wörter helfen.

Wer?		Wem? Was?	Wen? Was?
Vogel	schenkt	Mädchen	Herz
Hund	gibt	Freundin	Schmuck
Studentin	zeigt	Hund	Fußball
Bauer	…	Bären	Muschel
…		…	…

Track 35

Kurze und lange Vokale: Hören Sie die Beispiele.

Frau D<u>a</u>mm
p<u>a</u>sst die J<u>a</u>cke.

Frau D<u>ah</u>m
m<u>ag</u> den Sch<u>a</u>l.

  Track 36

Hören Sie die Wortpaare. Achten Sie auf die Vokallänge.

der Schal – die Jacke | der Regenmantel – das Hemd |
der Spiegel – der Lippenstift | die Hose – der Rock |
die Bluse – der Strumpf

Hören Sie noch einmal und sprechen Sie nach.

 Track 37

Hören Sie. Markieren Sie den Akzentvokal: kurz (.), lang (_).

der Anzug | die Kette | die Hose | die Brille | die Socken |
die Schuhe | die Strumpfhose | altmodisch | perfekt |
rot | schick | toll | kurz | super

Gleiche Akzentvokale in Nomen und Adjektiven. Verbinden Sie.

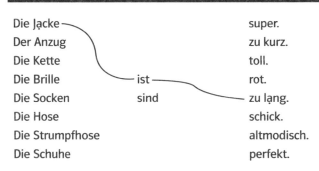

Die Jacke — super.
Der Anzug — zu kurz.
Die Kette — toll.
Die Brille — ist — rot.
Die Socken — sind — zu lang.
Die Hose — schick.
Die Strumpfhose — altmodisch.
Die Schuhe — perfekt.

  Track 38

Hören Sie die Sätze und sprechen Sie nach.

Bilden Sie Sätze wie in 31a.

• der Mantel, das Hemd, das Foto, die Bluse, die Hüte
• schwarz, eng, groß, gut, grün

 Track 39

Schenken und geben. Hören Sie die Sätze und markieren Sie *hier* den Akzentvokal (lang _, kurz .).

Ich *schenke* dem *Kind* einen *Ball*, einen *Apfel*, einen *Hund*, eine *Wurst* und einen *Kuss*.

Ich *gebe* der *Lehrerin* eine *Brezel*, einen *Spiegel*, einen *Brief*, einen *Regenmantel* und ein *Foto*.

Hören Sie noch einmal und sprechen Sie nach. Achten Sie auf lange und kurze Vokale.

Was schenken Sie noch? Ergänzen Sie die Sätze mit anderen Wörtern. Achten Sie auf die Vokallänge.

Reime. Ergänzen Sie die Wörter.

<u>Uta</u> *passt* die *Bluse gut* und die *Mutter mag* den _____ .

Eva teilt mit *Bernd* den _____ und die *Schwester trinkt Kaffee*.

Ina gibt dem *Kind* den *Fisch*. *Nila sitzt* mit *Niels* am _____ .

Ulli schenkt dem *Hund* die _____ . Er *hat Hunger*, er *hat Durst*.

Anna teilt mit *Max* ihr _____ und *Max* teilt mit *Marie* das *Bad*.

  Track 40

Hören Sie die Reime mehrmals und markieren Sie *hier* die Akzentvokale (lang _, kurz .).

Hören Sie noch einmal und sprechen Sie mit. Achten Sie auf lange und kurze Vokale.

Bildwörterbuch

der Geburtstag

10 .... Feste und Gäste

Nomen
das Fest, -e
der Gast, -ä-e
der Ball, -ä-e (Fest)
das Kostüm, -e
die Maske, -n
der Politiker, -
die Politikerin, -nen
die Veranstaltung, -en
die Hilfe, -n
die Modenschau, -en
der Prinz, -en
die Prinzessin, -nen
das Gesicht, -er
das Datum, Daten
der Geburtstag, -e
der Namenstag, -e
das Geschenk, -e
der Geburtstagskalender, -

die Geburtstagskarte, -n
die Feier, -n
die Einladung, -en
die Entschuldigung, -en
das Motto, -s
der Partner, -
die Partnerin, -nen
der Ordner, -
der / die Jugendliche, -n
der / die Erwachsene, -n
das Treffen, -
das Abendessen, -
die Atmosphäre (nur Sg.)
die Organisation, -en
die Daten (nur Pl.)
die Vorspeise, -n
die Hauptspeise, -n
das Lokal, -e
die Kosten (nur Pl.)

die Website, -s
die Telefonnummer, -n
die Postleitzahl, -en
das Fleisch (nur Sg.)
der Reis (nur Sg.)
die Kartoffel, -n
die Nudel, -n
die Tomate, -n
der Zucker (nur Sg.)
der Alkohol (nur Sg.)
das Glas, -ä-er
der Bauch, -ä-e
die Bauchschmerzen (nur Pl.)
der Januar, -e
der Februar, -e
der März, -e
der April, -e
der Mai, -e
der Juni, -s

2

Assoziationen

die Einladung

das Fest

3

Monate

der Frühling: März, _____, _____

der Sommer: _____, _____, _____

der Herbst: _____, _____, _____

der Winter: _____, _____, _____

der Juli, -s	hochladen, lädt hoch
der August, -e	fehlen
der September, -	eingeben, gibt ein
der Oktober, -	bekommen
der November, -	zu Abend essen, isst zu Abend
der Dezember, -	anbieten, bietet an
	reden
Verben	erzählen
feiern	fragen
sammeln	antworten
tragen, trägt (Kleidung)	austauschen, tauscht aus
stattfinden, findet statt	vergessen, vergisst
aussehen, sieht aus	treffen, trifft
meinen	rauchen
geboren sein	wehtun
bringen	aufräumen, räumt auf
mitbringen, bringt mit	planen
organisieren	
einladen, lädt ein	

Adjektive
verrückt
fantastisch
berühmt
geschminkt
herzlich
privat
gemeinsam
vegetarisch
ähnlich

Kleine Wörter
selbst
ein paar
zu (+ Adjektiv)
morgen
sicher
natürlich
denn

Wendungen
Du hast recht!
Schau mal! / Guck mal!
Bis bald.
Alles Gute!
Alles Liebe!
Herzlichen Glückwunsch!
Danke für alles!
Das ist schade!
Guten Appetit!
Prost!
Ich mache lieber …

4

Kombinationen

Alles | Bis | Herzlichen | Guten	Glückwunsch | Appetit | morgen | Liebe | bald | Morgen | Gute

Alles Gute, _____

_____

_____

5

Situationen

1. Ein Kollege hat Geburtstag: Alles _____ !
2. Das Abendessen beginnt: _____ !
3. Leute trinken zusammen Wein oder Bier: _____ !
4. Jemand hat ein Baby bekommen: Herzlichen _____ !

6

Wörter bauen

die Geburt + s + der Tag = _____
der Geburtstag + s + die Party = _____
der Geburtstag + s + der Kalender = _____

7 *Seite 60 KB,* **1**

Wie heißen die Wörter? Ergänzen Sie.

Der Ball ist ein bisschen v⬚t. Das ⬚o ist 1001 Nacht.

Die ⬚tüme sind ⬚ tas⬚. Die Gäste sind

be⬚t. Die Frau hat eine M⬚ an. Man kann ihr

⬚cht nicht sehen.

8

Schreiben Sie die Jahreszahlen und ordnen Sie sie.

neunzehnhundertachtundneunzig, zweitausendvierzehn,
neunzehnhundertdreiundneunzig, zweitausendzwei,
~~neunzehnhundertachtzig~~, zweitausendneun,

1. *1980*   4. _____

2. _____   5. _____

3. _____   6. _____

9

Ergänzen Sie.

Ball | Geld | Frühling | Kostüme | Modenschau | gibt | tragen | gezeigt | feiern | kreativ | berühmt

In Wien _____ (1) es viele Bälle. Aber ein _____ (2) ist besonders: der Life Ball. Er ist eine Charity-Veranstaltung,

das _____ (3) – ca. 2 Millionen Euro – geht an HIV- und AIDS-Projekte in Österreich und in die ganze Welt. Seit 1993

findet er jedes Jahr im _____ (4) statt. Der Ball ist bunt und _____ (5). Er hat immer ein anderes Motto

und viele Gäste tragen Masken und _____ (6). Man muss aber nicht im Kostüm kommen, man kann auch „normale"

Ballkleidung _____ (7). Es gibt auch immer eine _____ (8). Designer wie z. B. Donatella

Versace oder Jean Paul Gaultier haben ihre Modelle _____ (9). Viele Gäste sind _____ (10). Bill Clinton,

Sharon Stone, Whoopi Goldberg oder Liza Minelli waren schon da. AIDS geht uns alle an, das will der Organisator zeigen und

sagen: _____ (11) wir das Leben!

10 *Seite 61 KB,* **2-4**

Ordnen und schreiben Sie die Dialoge.

Meinst du die Prinzessin? | Meinst du den „Baum"? | Ja, das ist fantastisch. | Nein, ich meine die Frau mit dem Hut.
Ja, den meine ich. | Die ist elegant! | Der ist süß.

1.
A: Wie findest du die da?

B: _____

A: _____

B: _____

2.
A: Wie findest du den da?

B: _____

A: _____

B: _____

3.
A: Schau mal, das Gesicht ist toll geschminkt!

B: _____

11 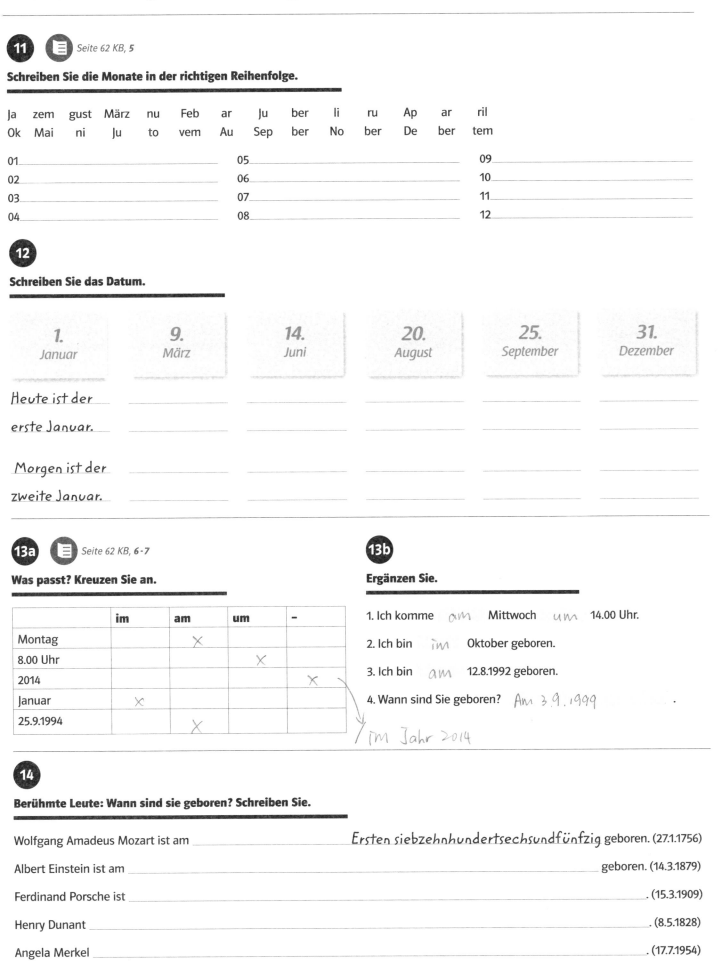 *Seite 62 KB, 5*

Schreiben Sie die Monate in der richtigen Reihenfolge.

| Ja | zem | gust | März | nu | Feb | ar | Ju | ber | li | ru | Ap | ar | ril |
| Ok | Mai | ni | Ju | to | vem | Au | Sep | ber | No | ber | De | ber | tem |

01_____ 05_____ 09_____
02_____ 06_____ 10_____
03_____ 07_____ 11_____
04_____ 08_____ 12_____

12

Schreiben Sie das Datum.

| 1. Januar | 9. März | 14. Juni | 20. August | 25. September | 31. Dezember |

Heute ist der erste Januar.

Morgen ist der zweite Januar.

13a *Seite 62 KB, 6-7*

Was passt? Kreuzen Sie an.

	im	am	um	–
Montag		X		
8.00 Uhr			X	
2014				X
Januar	X			
25.9.1994		X		

13b

Ergänzen Sie.

1. Ich komme *am* Mittwoch *um* 14.00 Uhr.

2. Ich bin *im* Oktober geboren.

3. Ich bin *am* 12.8.1992 geboren.

4. Wann sind Sie geboren? *Am 3.9.1999* .

im Jahr 2014

14

Berühmte Leute: Wann sind sie geboren? Schreiben Sie.

Wolfgang Amadeus Mozart ist am _____ *Ersten siebzehnhundertsechsundfünfzig* geboren. (27.1.1756)

Albert Einstein ist am _____ geboren. (14.3.1879)

Ferdinand Porsche ist _____ . (15.3.1909)

Henry Dunant _____ . (8.5.1828)

Angela Merkel _____ . (17.7.1954)

Seite 63 KB, 8-9

Ordnen Sie die Sätze zu.

1. Danke für die Geschenke.
2. Ich kann leider nicht kommen.
3. Ich feiere meinen 30. Geburtstag.

4. Kommt bitte alle ins Restaurant Peters.
5. Viel Spaß heute Abend.
6. Die Fotos sind toll geworden.

7. Ich habe schon alles organisiert.
8. Es war total lustig.
9. Bis bald!

Einladung: _____   Entschuldigung: _____   Nach der Party: _____

15b

Ergänzen Sie mit den Redemitteln aus 15a.

Meine Lieben!

Am 19. April _____

_____. Ich mache eine Party

und _____.

Wir treffen uns um 19.00 Uhr, kommt

_____

_____

_____

Alex

Lieber Alex,

danke für die Einladung. Leider

_____,

ich muss arbeiten. Alles Gute und

_____

_____.

Jan

Liebe Freundinnen, liebe Freunde!

Seid ihr schon fit??? Die Party war ja lang

und _____.

Noch einmal _____

_____. Ich war gar nicht

im Bett und habe schon die Fotos hochge-

laden. Sie _____

_____.

Alles Liebe
Alex

16a *Track 41*

Hören Sie zweimal und kreuzen Sie an.

	richtig	falsch
1. Lutz war auf der Party.	☐	☐
2. Barbara wird nächstes Jahr 30.	☐	☐
3. Die Gäste sind mit Maske oder geschminkt gekommen.	☐	☐
4. Lutz war in Paris.	☐	☐
5. Barbara bekommt nur von Lutz ein Geschenk.	☐	☐
6. Lutz besucht Barbara am Sonntag um 15.00 Uhr.	☐	☐

16b

Verbinden Sie. Hören Sie dann noch einmal und vergleichen Sie.

1. Wann bist du   Geschenke bekommen?
2. Die Party   etwas für dich gekauft.
3. Die Gäste sind   denn gekommen?
4. Hast du auch   mit Maske gekommen.
5. Ich habe in Paris   um 3 Uhr nachmittags.
6. Hast du   war wirklich toll.
7. Ich komme am Sonntag   am Sonntag Zeit?

17a  *Seite 64-65 KB, 10-12*

Was ist richtig? Kreuzen Sie an.

1. Was bietet die Organisation Hopping Dinner an?
☐ a. Ess-Partys.
☐ b. Kennenlern-Partys.
☐ c. Koch-Partys.

2. Was gibt man auf der Website ein?
☐ a. Seine Daten.
☐ b. Seinen Kochpartner.
☐ c. Seine Lieblingsspeise.

3. Wo fängt die Party an?
☐ a. In einem Lokal.
☐ b. In einer Kochschule.
☐ c. In einer Privatwohnung.

4. Was kocht man mit seinem Partner?
☐ a. Ein Abendessen.
☐ b. Eine Speise.
☐ c. Ein Mittagessen.

5. Wer kommt zum Essen?
☐ a. 2 Personen.
☐ b. 4 Personen.
☐ c. 6 Personen.

6. Wohin gehen die Leute am Ende?
☐ a. In den Hopping-Dinner-Club.
☐ b. In ein Lokal.
☐ c. In eine andere Wohnung.

7. Was vergisst man dabei?
☐ a. Das Essen.
☐ b. Die Kosten.
☐ c. Die Zeit.

8. Was tauscht man aus?
☐ a. Bücher und CDs.
☐ b. Telefonnummern und Rezepte.
☐ c. Franken und Euro.

17b

Sortieren Sie die Verben.

✂: *anbieten,* _____ , _____ , _____   ✳: _____ , _____ , _____ ,
_____

17c

Schreiben Sie die Antworten in die Tabelle. Markieren Sie die Verben.

1. Die Organisation Hopping Dinner	bietet		an.
2.			
3.			
4.			
5.			
6.			
7. Man	vergisst	dabei die Zeit.	
8.			

18

Ergänzen Sie. Zwei Verben passen nicht.

vergessen | wegwerfen | anbieten | gefallen | aufstehen |
erzählen | ankommen

1. Was _____ du mir da? Das kann ich nicht glauben!

2. Sonntags _____ ich nie vor 9 Uhr _____ . Ich frühstücke im Bett.

3. Er _____ meinen Geburtstag nie. Er schreibt mir immer eine Karte.

4. _____ die Organisation auch Partys für Singles _____ ?

5. Wir _____ alte Kleidung nicht _____ . Wir bringen sie zur Kleidertauschparty.

19 *Track 42*

Hören Sie. Ergänzen Sie die Informationen.

Vorname: Eli   Name: Haushofer
E-Mail: e.haushofer@gmail.com
Handynummer: 0676 / 5436790
Postleitzahl: 4200
Straße, Nummer: Bahnhofstraße 51
Ort: Villach
Alter: _____

Wunschdatum: _____ Juni

Ich esse
○ Fleisch ○ Fisch ○ nur vegetarisch

Meine Wohnung ist okay
für 6 Personen.

Ich möchte gern kochen mit …
✗ Mann ○ Frau ○ egal

Das möchte ich kochen:
○ Vorspeise ○ Hauptspeise ○ Dessert

Hobbys / Job: Lesen, Schwimmen, Fotografieren, Radfahren

20a Seite 66 KB, **13**

Essen und Trinken. Schreiben Sie die Wörter mit Artikel.

TALAS	*der Salat*
ULDENN	_____
ßEIWEINW	_____
AAPFLSEFT	_____
CFEISHL	_____
TFKANROFEL	_____
RONTWEI	_____
CHKUEN	_____
SCHFI	_____
ASERSW	_____
AFEFEK	_____
RTEOT	_____

20b

Sortieren Sie die Wörter.

Essen — Vorspeise: _____
Hauptspeise: _____
Dessert: _____

Trinken — mit Alkohol: _____
ohne Alkohol: _____

20c

Kombinieren Sie.

Nudel-   *Nudelsalat,*
Kartoffel-   Kuchen
Weiß-   Wein   _____
Rot-   Salat
Tomaten-   Saft   _____
Apfel-   Brot
Obst-   _____

  21a Seite 66 KB, **14-15**

Beim Essen. Was passt zusammen? Verbinden Sie.

g 1. Was arbeitest du?
b 2. Möchtest du ein Bier?
h 3. Wo wohnst du?
c 4. Was möchtest du trinken?
e 5. Hast du Kinder?
a 6. Machst du Sport?
d 7. Wo kann ich bitte rauchen?
f 8. Guten Appetit!

a. Ja, ich gehe schwimmen und jogge manchmal.
b. Nein, danke. Ich trinke keinen Alkohol.
c. Gern ein Glas Apfelsaft, danke.
d. Im Garten.
e. Nein, leider noch nicht.
f. Danke!   (unfortunately)
g. Ich bin noch Student, und du?
h. In der Stadt, beim Bahnhof.

 21b

Und Sie? Antworten Sie.

1. Was arbeiten Sie? *Ich bin noch eine Studentin.*
2. Wo wohnen Sie? *Ich wohne an der Universität*
3. Was möchten Sie trinken? *Ich möchte das Apfelsaft trinken.*
4. Haben Sie Kinder? *Nein ich habe kein Kinder.*
5. Machen Sie Sport? *Ja, ich mache Sport*

Seite 67 KB, 16

Verbinden Sie die Sätze mit denn.

1. Heute tut mir mein Kopf weh,   ich habe mein Handy nicht gehört.
2. Ich bin zu spät aufgestanden,   ich habe gestern zu viel getanzt.
3. Jetzt habe ich viel Stress, denn alles ist schmutzig und meine Mutter kommt bald.
4. Die nächste Party mache ich bald,   die Musik auf der Party gestern war so laut!
5. Mein Rücken tut mir heute weh,   es war gestern so super und ich hatte so viel Spaß!

22b

Ordnen Sie die Sätze.

1. zu | viel | sie | gearbeitet | denn | müde | ist | sie | hat

Sie ist müde, denn _____

_____ .

2. glücklich | ich | bin | meine | Familie | da | ist | denn

Ich bin _____ .

3. denn | Stress | morgen | er | hat | kommt | Chef | sein

_____

_____ .

4. kennenlernen | wir | Koch-Party | machen | eine | denn | möchten | neue | Leute | wir

_____

_____ .

5. keine | Reise | Geld | sie | haben | machen | kein | denn | sie

_____

_____ .

23

Was passt? Ordnen Sie zu. Markieren Sie die konjugierten Verben.

es gibt verrückte Kostüme | man raucht | meine Wohnung ist zu klein | wir gehen zusammen tanzen

Auf Partys trinkt man oft Alkohol	und	
Am Sonntag laden wir Freunde ein	oder	
Ich möchte meinen Geburtstag feiern,	aber	
Viele gehen gern zum Life Ball,	denn	

24

Schreiben Sie eine Nachricht zu den Fotos.

1. Schau mal! Hier sind so viele

_____ . Ich hatte

_____ .

Das war _____ !

Wir _____ viel _____
und getrunken!

2. Hallo, wie _____ ? Hier siehst

du meine _____ . Ich hatte

_____ . Es

war _____ . Heute _____ ich

leider Kopf_____ .

25

Richtig schreiben. Ergänzen Sie den oder denn, ihn oder in.

1. Ich esse _____ Kuchen nicht, _____ ich mag keine Süßspeisen.

2. Siehst du _____ Mann da? – Meinst du _____ ? – Ja, _____ meine ich.

3. Ich gehe gern auf Partys, _____ man lernt viele Leute kennen.

4. Wo ist dein Freund? – Ich habe _____ vor fünf Minuten _____ der Küche gesehen. – Dann ist er _____ Garten gegangen.

26

Warum denn? Notieren Sie Ihre Gedanken.

Der Himmel ist heute so blau, **denn** _____

ich habe jetzt einen Job!

_____

_____

Der Himmel ist heute so grau, **denn** _____

ich habe wieder Kopfschmerzen.

_____

_____

27

Wie war die Party? Schreiben Sie eine Antwort.

Hallo Anna,
leider war ich nicht auf der Party von Jan.
Wie war es denn? Erzähl bitte.
Eva

das Essen: lecker, gut, schlecht, in Ordnung, …

die Gäste: interessant, verrückt, nett, …

die Party: toll, lustig, langweilig, …

Liebe Eva,

die Party war _____, denn _____.

Das Essen war _____

_____

_____

Ich bin _____ nach Hause gegangen. _____

_____

Track 43

28a

Trennbare und untrennbare Verben: Hören Sie die Beispiele.

Ankommen … und
be**kom**men.

28b *Track 44*

Hören Sie. Brummen und sprechen Sie nach.
Klopfen Sie den Wortakzent.

Hm-**HM**-hm   bek<u>o</u>mmen | bes<u>u</u>chen | erl<u>e</u>ben |
                 erz<u>äh</u>len | verd<u>ie</u>nen | gen<u>ie</u>ßen

HM-hm-hm   <u>a</u>nkommen | <u>ei</u>nladen | <u>au</u>fwachen |
                 <u>au</u>stauschen | <u>au</u>fstehen | <u>ei</u>nkaufen

28c   *Track 45*

Hören Sie. Welches Wort ist das? Kreuzen Sie an.

1. ☐ bekommen   oder   ☐ ankommen
2. ☐ besuchen   oder   ☐ einladen
3. ☐ erleben   oder   ☐ aufwachen
4. ☐ erzählen   oder   ☐ austauschen
5. ☐ verdienen   oder   ☐ aufstehen
6. ☐ genießen   oder   ☐ einkaufen

29a *Track 46*

Hören Sie und markieren Sie *hier* den Akzentvokal
(lang mit _ und kurz mit .).

1. *Anrufen!* Ruf bitte an! Ruf doch bitte an!
2. *Mitkommen!* Komm doch mit! Komm doch bitte mit.
3. *Losfahren!* Fahr doch los! Fahr doch bitte los!
4. *Beginnen!* Der Film beginnt! Der Film beginnt gleich!
5. *Vergessen!* Nichts vergessen! Bitte nichts vergessen!
6. *Entschuldige!* Entschuldige bitte! Entschuldige doch bitte!

29b

Hören Sie noch einmal und sprechen Sie nach.
Achten Sie auf Wortakzente und Satzakzente.

30a   *Track 47*

Was ist wichtig im Satz? Hören Sie die Beispiele.
Achten Sie auf den Satzakzent.

Meinst du **den**?

Nein, **die** dort! Die mit dem
Hut. Die sieht lustig aus.

30b   *Track 48*

Hören Sie und markieren Sie in jedem Satz das betonte Wort.

1.
A: Siehst du den da?
B: Meinst du den?
A: Nein, den dort.
B: Den mit dem Hut?
A: Ja, der sieht komisch aus.

2.
B: Und siehst du die da?
A: Meinst du die?
B: Nein, die dort. Die mit der Tasche.
A: Ja, die sieht schick aus.

3.
A: Siehst du das da?
B: Meinst du das?
A: Nein, das.
B: Das Rad? Das geht gar nicht.

30c

Hören Sie noch einmal und sprechen Sie nach.

06

5   1. Wo bist du (gerade)? 2. Wo frühstückst du gern? 3. Was machst du (gerade)? 4. Wie komme ich zum Potsdamer Platz?

7   Café: sitzen, besuchen, frühstücken; Museum: sitzen, besuchen; Strandbar: sitzen, besuchen, chillen; Bus: sitzen; Ticket: kaufen; Sehenswürdigkeit: besuchen

8   auf, im, im, am, an, in

9   im Café, auf dem Fernsehturm, auf dem Kurfürstendamm, in der Strandbar

10   in, im, im; in, im, im; in, im, im; in, im

11   Ich bin / sitze / stehe / liege am Bus / im Bus / am Theater / im Theater / am Turm / im Turm / auf dem Turm / an der Bar / in der Bar / auf der Insel / am Schiff / auf dem Schiff / am Restaurant / im Restaurant / am Museum / im Museum / am Boot / im Boot / auf dem Boot.

12a   1. Einkaufszentrum 2. Cafés 3. Flohmarkt 4. Imbissständen 5. Kaufhaus 6. Bücher 7. Souvenirs 8. Galerien 9. Bars 10. Clubs

12b   2. das Café, 3. die Flohmärkte, 4. der Imbissstand, 5. die Kaufhäuser, 5. das Buch, 6. das Souvenir, 7. die Galerie, 8. die Bar, 10. der Club

13a   der: Turm, Platz, Flohmarkt, Bahnhof; das: Café, Museum, Kino, Hotel; die: Bar, Straße, Station, Galerie, U-Bahn

13b   1. zum, 2. zum, 3. vom – zum, 4. vom – zur, 5. von der – zur

14   Sie sind an der Bibliothek / am Theater / am Brandenburger Tor.

15   geradeaus, links, rechts

16a   3, 1, 2

16b   links, dann gehen Sie geradeaus, dann gehen Sie rechts, das Brandenburger Tor

17a   Ziel 1: Pergamon-MuseumZiel 2: Stadtmitte

17b   1. ↑, ←, →; 2.↑, →, ←, →, →, ←

18   1. Gehen Sie; 2. Macht; 3. Besuchen Sie; 4. Kaufen Sie; 5. Frühstücke.

19a   geholt, gekommen, gelernt, geliebt, gemacht, gereist, gesagt, gesucht

19b   haben: geholt, gelernt, geliebt, gesagt, gesucht; sein: gereist

20a   habe – gewohnt, habe – gemacht, habe – gesucht, bin – gereist, habe – geliebt, habe – gesagt

20b   ist, bin – gekommen, liebe, ist, sind, bin – gekommen, habe – gelernt, hatte, ist, findet, habe – geholt, kaufen

20c   1. Daniel hat lange in New York gelebt. 2. Aurelie hat an der Universität Deutsch gelernt. 3. Daniel hat viele Erfahrungen gemacht. 4. Aurelie ist aus der Bretagne gekommen.

20d   Vor 14 Jahren ist Daniel nach Berlin gereist. Vor 10 Jahren ist Aurelie nach Berlin gekommen. Vor 5 Jahren hat Daniel gesagt: Hier bleibe ich. Vor 2 Jahren hatte Aurelie eine Idee: ein Shop mit bretonischen Lebensmitteln. Jetzt / Heute leben Daniel und Aurelie in Berlin.

21   gegessen, gefahren, geschlafen, gegangen

22   1. Ich habe einen Döner gegessen. 2. Wir sind auf dem Bier-Fahrrad gefahren. 3. Ich habe tief und fest geschlafen. 4. Wir sind an der East Side Gallery spazieren gegangen. 5. Ich habe auf dem Tanzschiff getanzt.

23   hast, hat, hat, haben, gelacht/gespielt/…, haben gespielt/gelacht/…; bist, ist gekommen, ist gegangen, sind gefahren, sind

24   1. Er hat gestern Fußball gespielt. 2. Sie sind vor 10 Jahren nach Griechenland gereist. 3. Du hast gestern nicht geschlafen. 4. Wir sind vor 2 Jahren nach Berlin gefahren. 5. Ihr seid heute shoppen gegangen. 6. Sie hat am Wochenende gearbeitet.

25   1. Vor, 2. Um, 3. Am, 4. bis, 5. am, 6. Bis

26   15, 2014, 11, 3, 2001, 1000, 16, 100, 17, 98, 66, 2009

27   Berlin: 2006, Kairo: 2007, Hongkong: 2004, Buenos Aires: 2009, Istanbul: 2004, Tokio: 2005, Warschau: 2008, Wien: 2006

30   Der Bär ist ein Symbol von Berlin. Im Jahr 2001 haben Künstler 350 Bären bunt bemalt. Sie heißen Buddy Bären. Heute gibt es über 1000 Buddy Bären in der ganzen Welt. Die Bären reisen sehr gern. 2014 machen sie Station in Brasilien.

34c   Sagen Sie bitte, was machen Sie heute in Berlin? | Wohin gehen Sie? | Ich gehe einkaufen. | Ich habe keine Zeit. | Wir haben frei. | Wir genießen die Sonne.

35c   gehört, gelernt, gedacht, gesucht, geholt, gesagt, gemacht. Getanzt, geträumt, getrunken, gelacht. Gespielt, gelebt, gegessen, gemacht.

07

3   1. Winter, 2. Herbst, 3. Sommer, 4. Frühling

6   1. Informatiker, 2. Hausfrau, 3. ein Fischer, 4. ein Bauer

7a   2. der Wald, 3. die Blume, 4. das Schiff, 5. der Garten, 6. das Gemüse, 7. das Obst, 8. der Schnee, 9. die Wiese, 10. der Baum, 11. der Vogel, 12. die Welle

7b   (¨)- : die Gärten, die Vögel; (¨)-e : die Schiffe, die Bäume; -n: die Blumen, die Wiesen, die Wellen; (¨)-er : die Wälder; kein Plural: das Gemüse, das Obst, der Schnee

8   1. Zeitschriften, 2. Thema, 3. kosten, 4. Seiten, 5. Zum Beispiel, 6. Leser, 7. lesen

9   1. das, 2. am – der, 3. im – das, 4. in / an der - die, 5. im – der, 6. in der – die, 7. auf dem – der

10   2. Es gibt einen Park, aber es gibt keinen Garten. 3. Es gibt (ein) Meer, aber es gibt keinen Strand. 4. Es gibt einen Strand, aber es gibt keine Ruhe. 5. Es gibt Bäume, aber es gibt keine Blumen.

11   1. um, dem, wir, getrunken, ruhig, gesehen 2. viele, ist, Tag, ist, möchte, haben 3. Jahren, ein, bin, einen 4. um, gearbeitet, ruhig, haben

12a   gesungen, weggegangen, gegessen, getrunken, gesehen, gefangen; gearbeitet, gehört, gebaut

12b   1. gefangen, 2. Habt, 3. gegessen, 4. Hast, 5. gearbeitet, 6. gegangen, 7. getrunken, 8. gesagt

12c   1. einen Fisch gefangen, 2. hören die Vögel, 3. essen – Obst, 4. singen, 5. frei, 6. gehen, 7. trinke, 8. war – Danke gesagt

13a   Peter – Café; Robert – Park; Mia – Garten

13b 1. Café – ein Bier, 2. ist – im Park – spielt Fußball, 3. im Garten und liest ein Buch

14a wohin: gehen, fahren, reisen; wo: spielen, essen, sein, wohnen, arbeiten, leben

14b 1. an den, am; 2. in den, im; 3. auf den, auf dem; 4. ans, am; 5. an den, am; 6. in den, im

15 1. an, an, ins; 2. in die, auf, ins, an; 3. in, ins, ins, ins, ins

16a Winter: kalt, Schnee, Eis; Frühling: Vögel; Sommer: warm, Sonne, T-Shirt, Himmel blau; Herbst: Regen, Pullover, Regenjacke, Bäume bunt

16b *zum Beispiel:* Rad fahren – kann die Vögel hören; schwimmen gehen; kann man in die Berge fahren; Winter kann man ins Museum gehen

17a Für viele Leute in Deutschland ist Radfahren kein Hobby, es ist ein Verkehrsmittel. In Deutschland haben zirka 71 Millionen Menschen ein Auto zu Hause. 41 Prozent der Deutschen fahren mehrmals pro Tag Rad. Radfahren ist gesund: Radfahrer sind aber oft krank. In Deutschland gibt es viele Radwege – in den Städten und auf dem Land. Pro Jahr fährt man in Deutschland viele Millionen Meter Rad.

17b Für viele Leute in Deutschland ist Radfahren ein Hobby, aber es ist auch ein Verkehrsmittel. In Deutschland haben zirka 71 Millionen Menschen ein Fahrrad zu Hause. 41 Prozent der Deutschen fahren mehrmals pro Woche Rad. Radfahren ist gesund: Radfahrer sind fast nie krank. Pro Jahr fährt man in Deutschland viele Millionen Kilometer Rad.

18 muss, können, kann, muss, können, muss

19 kann, muss, kann, Kannst, können, muss, Kannst

20a 2, 4, 1, 3

20b 1, 2

21a erlaubt: im Park spazieren gehen, am Strand joggen oder tanzen, im Fitnessstudio Wasser trinken; verboten: im Park laut Musik hören, auf dem Radweg Fußball spielen oder Yoga machen, im Fitnessstudio essen

21b laut Musik hören; joggen und/oder tanzen; darf man nicht Fußball spielen und/oder Yoga machen; darf man Wasser trinken, aber man darf nicht essen

22 1. du nicht Fußball spielen; Darf; dürfen nicht auf die Wiese / sind verboten; dürfen; dürft 2. Müssen; Party machen; Muss, kann, muss

23 1c, 2a, 3d, 4b, 5e

24a Fußball / Tennis spielen; Rad / Inliner / Skateboard fahren; spazieren / zu Fuß gehen; Yoga / Sport machen

25a lesen, trainieren, Rad fahren, schlafen, spazieren gehen, telefonieren

26a 1. gegangen, 2. gesehen, 3. trainiert, 4. Rad gefahren, 5. telefoniert

26b 1. gegangen, toll; 2. Der Film war langweilig. Ich habe ihn schon gesehen. 3. Ich habe im Fitnessstudio trainiert. Claudia war da! 4. Ich bin im Schnee Rad gefahren. Das war so cool! 5. Ich habe mit Peter telefoniert. Ich bin müde.

27a Schnee, Meer, sehen, mehr, gehen, Kaffee, See, sehr

27b sehe – Meer – mehr; See – sehr; Geh – Kaffee – Tee; Schnee – sehr

30c Nach e, i, ä, ö, ü, ei, n, l, r und in -chen wie in rechts, sportlich, Töchter, Milch, Brötchen spricht man ch als Ich-Laut.
Nach a, o, u, au wie in lachen, doch, suchen spricht man ch als Ach-Laut.

30d Nacht, Acht; machen, lachen; kochen, Wochen; Buch, Besuch

31c R/r klingt wie in Rad: früh, frisch, Brot, fragen, hören, reisen, Preis
r klingt wie in Uhr und Winter: leider, erlaubt, ihr, wer, nur, das Bier, das Meer

31e Radfahren verboten! | Sprechen verboten! | Musik hören verboten! | Fernsehen verboten! | Träumen verboten!
Radfahren erlaubt! | Sprechen erlaubt! | Musik hören erlaubt! | Fernsehen erlaubt! | Träumen erlaubt!

08

5 1. Bei wem wohnt ihr? 2. Mit wem wohnst du hier? 3. Wie (groß) ist die Küche? 4. Wo leben Sie?

6 Fernsehturm, Aussichtsturm, Leuchtturm; Baumhaus, Mietshaus, Einfamilienhaus; Wohnzimmer, Wohnwagen, Wohngemeinschaft; Badezimmer, Kinderzimmer, Studentenzimmer

7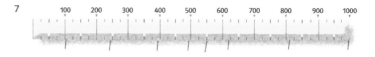

8 sehr teuer; günstig; sehr günstig; günstig – teuer

9 1. 220, 2. 330, 3. 514, 4. 249, 5. 499, 6. 1000

10 1. im Norden, 2. im Süden, 3. im Osten, 4. im Westen

11 Finja: Leipzig, 220 €; Patrick: Bremen: 308 €; Tina und Oliver: München, 1000 €; Oskar: Köln, 318 €

12 Einwohner, Studenten, Theater, Museen, Kinos, Hotels, Restaurants, Sonnentage, Radwege

13 1. auf, in, in; 2. in, in; 3. in, auf, auf, auf; 4. in, in, in, in

14a das Wohnzimmer, das Wohnhaus, die Wohngemeinschaft, der Wohnturm, der Wohnwagen; das Baumhaus; die Ferienwohnung, das Ferienhaus; die Zweizimmerwohnung, das Zweizimmerhaus; das Einfamilienhaus; der Leuchtturm; das Hotelzimmer; die Hausgemeinschaft, das Hausboot

15 1. in einem Leuchtturm, 2. in einem Wohnwagen, 3. in einem / im Hotel, 4. in einer Wohngemeinschaft, 5. auf einem Bauernhof

16 1. Tiere, 2. Nachbar, 3. Baumhaus, 4. Miete

17 in, am, mit, mit, am

18a Jan: Eltern, seinem, seiner Schwester, seinen Freunden; Eva: ihrem Mann, ihren Kindern, ihrem Hund

18b deinem, deiner, deinem; deinem, deinen, deinem

19 1. Vater, 2. Arbeitskollegen, 3. Er wohnt bei seinen Eltern. 4. Sie wohnt mit ihrem Freund zusammen. 5. Er lebt mit seiner Frau. 6. Sie wohnen bei ihrem Opa. 7. Sie wohnen mit ihren Tieren.

20 Wir wohnen mit unseren Töchtern bei unseren Freunden. Er wohnt mit seinen Tieren bei seinen Großeltern. Ich wohne mit meinem Hund bei meiner Tante. Du wohnst mit deiner Maus in deinem Haus. Ihr wohnt mit eurer Katze bei eurem Vater. Sie wohnen mit ihren Freunden bei ihren Eltern.

21   1. Sofa, 2. Dusche, 3. Pflanze, 4. Kissen, 5. Esstisch, 6. Lampe, 7. Schrank;
     Lösungswort: Fenster

22   Zimmer, Arbeitszimmer, Badezimmer, Schlafzimmer, Wohnzimmer,
     Esszimmer, Zimmer

23a 2. Kinderzimmer, 3. im Badezimmer / Bad, 4. im Arbeitszimmer,
     5. im Schlafzimmer, 6. im Wohnzimmer, 7. im Wohnzimmer

23b Im Esszimmer stehen ein Esstisch und vier Stühle. Es gibt viele
     Pflanzen. Der/Das Laptop liegt auf dem Schreibtisch im Arbeitszimmer.
     Im Kinderzimmer sind zwei Kinderbetten.

24   1. Das ist der Fernseher. 2. Das ist die Decke. 3. Das ist das Handy.

25   Kaffeemaschine: sie, sie; Fotoapparat: ihn, ihn; Laptop: ihn, ihn /es, es

26a ihn: den Schnee, den Regen, den Koffer, den Lippenstift; es: das Inter-
     net, das Kissen, das iPad, das Auto; sie: die Pflanze, die Badewanne,
     die Brille, die Toilette

26b 1e, 2d, 3c, 4a, 5b

27   2. ja, ich suche ihn. 3. Ich finde sie schön. 4. Nein, ich habe es nicht
     gesehen. 5. Ja, ich mag sie.

28   ich – mich, du – dich, er – ihn, sie – sie, es – es, wir – uns, ihr – euch,
     sie – sie, Sie – Sie

29   1. Ja, ich heirate dich! 2. Willst du es? 3. Ich nehme euch mit.
     4. Ruf mich an! 5. Holt uns bitte ab.

30   1. ihn, 2. es, 3. sie, 4. sie, 5. dich

31   1. ich höre dich; 2. ich höre ihn nicht; 3. ich höre es; 4. ich höre sie nicht;
     5. ich höre sie

32   1. mieten, 2. brauche, 3. holen – ab, 4. Magst, 5. habe

33   1. brauche, Buch, Badewanne, i-Pad, Lampe, Bier, Nachbarn; 2. mag,
     Sonntag, Kaffee, Küche, Kissen, Katze, Familienglück, Garten; 3. träume,
     Arbeiten, Land, Dusche, Obst, Garten, Internet, Handy

38c b, d, g am Wortende: p, t, k; am Wort- und Silbenanfang: b, d, g

38e 1. Frau Koller 2. Frau Poller 3. Frau Doller 4. Frau Goller 5. Frau Boller
     6. Frau Toller

38f 1. Frau Koller braucht einen Koffer. 2. Frau Poller braucht eine Post-
     karte. 3. Frau Doller braucht eine Dusche. 4. Frau Goller braucht einen
     Garten. 5. Frau Boller braucht einen Ball. 6. Frau Toller braucht eine
     Tasche.

09

4   altmodisch, eng, kurz, praktisch, sozial, unmodern, unkommunikativ

5   1. Was; Wir teilen den; 2. Gefällt dir das Kleid? / Steht mir das Kleid?
     3. Passt dir die Hose? 4. Wem; Ich schenke dem Kind den Fußball.
     5. Hilfst du mir? / Kannst du mir helfen?

6   der Kühlschrank, die Waschmaschine, das Werkzeug, das Passwort, die
     Zahnbürste, die Unterwäsche, das Bankkonto, das Mobiltelefon, der/
     das Laptop

7   1. Passwort, 2. Erfahrung, 3. Idee, 4. Arbeit, 5. Bankkonto, 6. Wissen

8a   Wenige teilen. Fast alle teilen. Viele teilen. Fast niemand teilt. Niemand
     teilt.

8b   1. wenige 2. Niemand 3. viele 4. Niemand – alle

9   Garten, Arbeit, Auto, Problem, Getränk, Essen, Büro, Werkzeug

10   ich: mein Essen, meine Wurst, meine Getränke; du: deinen Garten,
     deine Wurst, deine Getränke; er/es: seinen Garten, sein Essen, seine
     Wurst, seine Getränke; sie: ihren Garten, ihr Essen, ihre Wurst, ihre
     Getränke; wir: unseren Garten, unser Essen, unsere Wurst, unsere
     Getränke; ihr: euren Garten, euer Essen, eure Getränke; se: ihren Gar-
     ten, ihr Essen, ihre Wurst; Sie: Ihren Garten, Ihr Essen, Ihre Wurst, Ihre
     Getränke

11a 2f, 3e, 4b, 5d, 6a

11b Das ist billig und ökologisch. Teilen macht das Leben schön. Das ist
     leicht. Teilen ist kommunikativ. Das ist gut für alle. Das ist modern.

11c pünktlich, gefährlich; mutig, neugierig; komisch, sympathisch; kommu-
     nikativ, positiv

12   Ben teilt seinen Hund, sein Haus, seinen Garten, seinen Cocktail.
     Ben teilt nicht sein Auto.

13   2. unser Elternhaus, unseren Garten, unseren Hund; 3. mein Auto,
     4. eure Autos, 5. unsere Autos, 6. unseren Cocktail

14a 1. mein, 2. meinen, 3. meine, 4. Meine, 5. meine, 6. mein, 7. mein,
     8. meinen, 9. mein, 10. Meinen

14b mein Bruder, meine Schwester, mein Haus, meinen Garten, Meinen
     Mercedes

15   1d, 2a, 3b, 4c, 5f, 6e

16   Handy, Mobiltelefon, Smartphone

17   1. die Jeans, 2. das Kleid, 3. das Hemd, 4. die Strümpfe, 5. der Schuh,
     6. der Handschuh, 7. der Regenmantel, 8. die Krawatte

18   1. die Socken, 2. das Kleid, 3. der Rock, 4. die Laufschuhe, 5. elegant

19   braun, blau, grau, grün, rot, schwarz, weiß, lila, gelb

20a 1. gefällt, 2. steht, 3. gefällt, gefällt; 4. passt, steht; 5. gefällt, gefällt,
     passt

21   1. gebe 2. hilfst 3. hilft, gibt 4. helfen, geben 5. gebt, helft 6. helfen,
     geben

22a 1d, 2a, 3b, 4c, 5e

23   1. mir, dir; 2. mir, dir; 3. mir, dir; 4. mir, dir; 5. mir

24a Der Chef schenkt der Frau das Auto. Der Freund gibt der Frau das
     Fahrrad. Das Kind gibt der Frau die Schuhe. Die Studentin gibt der
     Frau den Fotoapparat.

24c Wer schenkt der Frau das Auto? Wem schenkt der Chef das Auto?
     Was schenkt der Chef der Frau?

25a die; Die – dem - das; Das – dem – die; Der – dem – den

25b Nominativ: die Frau, das Kind, der Hund; Dativ: dem Kind, dem Hund,
     dem Mann; Akkusativ: die Blumen, das Eis, die Wurst, den Tennisball

26   2. Wem hilfst du im Garten? Ich helfe der Freundin im Garten. 3. Wem
     zeigt er die Werkzeuge? Er zeigt dem Freund die Werkzeuge. 4. Wem
     hilft die Großmutter? Die Großmutter hilft den Enkeln.

27a 1. steht, schenkt; 2. gefährlich, gefällt; 3. Schuh, Turm; 4. Strümpfe,
     Kühlschrank; 5. Sohn, Sonne

27b Vokal + h: lang, Vokal + 2 gleiche Konsonanten: kurz

30d die Kette, die Hose, die Brille, die Socken, die Schuhe, die Strumpfhose, altmodisch, perfekt, rot, schick, toll, kurz, super

31a Der Anzug ist altmodisch. Die Kette ist perfekt. Die Brille ist schick. Die Socken sind toll. Die Hose ist rot. Die Strumpfhose ist zu kurz. Die Schuhe sind super.

31d schenke, Kind, Ball, Apfel, Hund, Wurst, Kuss
gebe, Lehrerin, Brezel, Spiegel, Brief, Regenmantel, Foto

32a+b Uta passt die Bluse gut und die Mutter mag den Hut. Eva teilt mit Bernd den Tee und die Schwester trinkt Kaffee. Ina gibt dem Kind den Fisch. Nila sitzt mit Niels am Tisch. Ulli schenkt dem Hund die Wurst. Er hat Hunger, er hat Durst. Anna teilt mit Max ihr Rad und Max teilt mit Marie das Bad.

10

3 Frühling: März, April, Mai; Sommer: Juni, Juli, August; Herbst: September, Oktober, November; Winter: Dezember, Januar, Februar

4 Alles Gute; Alles Liebe; Bis morgen; Bis bald; Herzlichen Glückwunsch; Guten Morgen; Guten Appetit

5 1. Alles Gute (zum Geburtstag)! 2. Guten Appetit! 3. Prost! 4. Herzlichen Glückwunsch!

6 der Geburtstag, die Geburtstagsparty, der Geburtstagskalender

7 verrückt, Motto, Kostüme, fantastisch, berühmt, Maske, Gesicht

8 2. 1993, 3. 1998, 4. 2002, 5. 2009, 6. 2014

9 1. gibt, 2. Ball, 3. Geld, 4. Frühling, 5. kreativ, 6. Kostüme, 7. tragen, 8. Modenschau, 9. gezeigt, 10. berühmt, 11. Feiern

10 1. B: Meinst du die Prinzessin? A: Nein, ich meine die Frau mit dem Hut. B: Die ist elegant! 2. B: Meinst du den „Baum"? A: Ja, den meine ich. B: Der ist süß. 3. Ja, das ist fantastisch.

11 01 Januar, 02 Februar, 03 März, 04 April, 05 Mai, 06 Juni, 07 Juli, 08 August, 09 September, 10 Oktober, 11 November, 12 Dezember

12 Heute ist der neunte März. Morgen ist der zehnte März. Heute ist der vierzehnte Juni. Morgen ist der fünfzehnte Juni. Heute ist der zwanzigste August. Morgen ist der einundzwanzigste August. Heute ist der fünfundzwanzigste September. Morgen ist der sechsundzwanzigste September. Heute ist der einunddreißigste Dezember. Morgen ist der erste Januar.

13a am Montag, um 8.00 Uhr, 2014, im Januar, am 25.9.1994

13b 1. am – um, 2. im, 3. am, 4. Am

14 siebenundzwanzigsten; vierzehnten Dritten achtzehnhundertneunundsiebzig; am fünfzehnten Dritten neunzehnhundertneun geboren; ist am achten Fünften achtzehnhundertachtundzwanzig geboren; ist am siebzehnten Siebten neunzehnhundertvierundfünfzig geboren

15a Einladung: 3, 4, 7, 9; Entschuldigung: 2, 5; Nach der Party: 1, 6, 8

15b feiere ich meinen 30. Geburtstag; ich habe schon alles organisiert; bitte alle ins Restaurant Peters; Bis bald! kann ich nicht kommen; viel Spaß heute Abend; es war total lustig; danke für die Geschenke; sind toll geworden

16a 1. falsch, 2. falsch, 3. richtig, 4. richtig, 5. falsch, 6. richtig

16b 1. denn gekommen, 2. war wirklich toll, 3. mit Maske gekommen, 4. Geschenke bekommen 5. etwas für dich gekauft, 6. am Sonntag Zeit 7. um 3 Uhr nachmittags

17a 1c, 2a, 3c, 4b, 5b, 6b, 7c, 8b

17b trennbar: eingeben, anfangen, austauschen; nicht trennbar: kochen, kommen, erzählen, vergessen

17c 1. Kochpartys, 2. Man gibt seine Daten ein. 3. Die Party fängt in einer Privatwohnung an. 4. Man kocht eine Speise. 5. 4 Personen kommen zum Essen. / Zum Essen kommen 4 Personen. 6. Man geht am Ende in ein Lokal. 8. Man tauscht Telefonnummern und Rezepte aus.

18 1. erzählst, 2. stehe – auf, 3. vergisst, 4. Bietet – an, 5. werfen – weg

19 24, Hauptspeise, 12. Juni, Fisch

20a die Nudeln, der Weißwein, der Apfelsaft, das Fleisch, die Kartoffel, der Rotwein, der Kuchen, der Fisch, das Wasser, der Kaffee, die Torte

20b Vorspeise: Salat; Hauptspeise: Nudeln, Kartoffel, Fleisch, Fisch; Dessert: Kuchen, Torte; mit Alkohol: Weißwein, Rotwein; ohne Alkohol: Apfelsaft, Wasser, Kaffee

20c Kartoffelsalat, Kartoffelbrot, Weißwein, Weißbrot, Rotwein, Tomatensalat, Tomatensaft, Tomatenbrot, Apfelkuchen, Apfelwein, Apfelsaft, Apfelbrot, Obstkuchen, Obstsalat, Obstsaft

21a 1g, 2b, 3h, 4c, 5e, 6a, 7d, 8f

22a 1. denn die Musik auf der Party gestern war so laut. 2. denn ich habe mein Handy nicht gehört. 3. denn alles ist schmutzig und meine Mutter kommt bald. 4. denn es war gestern so super und ich hatte viel Spaß. 5. denn ich habe gestern zu viel getanzt.

22b 1. sie hat zu viel gearbeitet; 2. glücklich, denn meine Familie ist da 3. Er hat Stress, denn morgen kommt sein Chef. 4. Wir machen eine Koch-Party, denn wir möchten neue Leute kennenlernen. 5. Sie machen keine Reise, denn sie haben kein Geld.

23 man raucht; wir gehen zusammen tanzen; meine Wohnung ist zu klein; es gibt verrückte Kostüme

24 Leute, so viel Spaß, toll / fantastisch / super, haben – gegessen; geht's / geht es dir, Geburtstagstorte, eine Party, toll / fantastisch / super, habe – schmerzen

25 1. den, denn; 2. den, den, den; 3. denn; 4. ihn, in, in den

28c 1. Hm-HM-hm = bekommen; 2. HM-hm-hm = einladen; 3. Hm-HM-hm = erleben; 4. Hm-HM-hm = erzählen; 5. HM-hm-hm = aufstehen; 6. HM-hm-hm = einkaufen

29a 1. Anrufen! Ruf bitte an! Ruf doch bitte an! 2. Mitkommen! Komm doch mit! Komm doch bitte mit. 3. Losfahren! Fahr doch los! Fahr doch bitte los! 4. Beginnen! Der Film beginnt! Der Film beginnt gleich! 5. Vergessen! Nichts vergessen! Bitte nichts vergessen! 6. Entschuldige! Entschuldige bitte! Entschuldige doch bitte!

30b 1. den, den, Hut, komisch; 2. die, die, die, Tasche, die; 3. das, das, das, Rad, gar, das

Bildquellennachweis Kursbuch

U1 Thinkstock (Ljupco), München; **10.1** Klett-Archiv (Stephan Klonk), Stuttgart; **13.1** Fotolia.com (tournee), New York; **14.1** Sonae Sierra; **14.2** Dreamstime.com (Andersastphoto), Brentwood, TN; **14.3** Dussmann / Kay Herschelmann; **14.4** Klett-Archiv (Stephan Klonk), Stuttgart; **14.5** Shutterstock (Eldad Carin), New York; **14.6** Kartendaten © 2014 GeoBasis-DE/BKG (©2009), Google; **15.1** Kartendaten © 2014 GeoBasisDE/BKG (©2009), Google; **15.1** iStockphoto (olegganko), Calgary, Alberta; **15.2** iStockphoto (Alex Belomlinsky), Calgary, Alberta; **15.2** Fotolia.com (kromkrathog), New York; **15.3** Thinkstock (ihorzigor), München; **16.1** EKS, Aurelie Cocheril; **16.2** EKS, Valeria Weber; **17.1** Daniel Wang; **18.1** iStockphoto, Calgary, Alberta; **18.2** Sebastian Greuner; **18.3** getty images (Bernhard Limberger), München; **18.4** Thinkstock (Minerva Studio), München; **18.5** iStockphoto (FilippoBacci), Calgary, Alberta; **18.6** Shutterstock (katatonia82), New York; **19.1** Shutterstock (ChameleonsEye), New York; **19.2** Shutterstock (mmcool), New York; **19.3** Shutterstock (mary416), New York; **22.1** plainpicture (Baertels), Hamburg; **24.1** Shutterstock (Daniel Prudek), New York; **24.2** iStockphoto (fotoVoyager), Calgary, Alberta; **24.3** Fotolia.com (Sulabaja), New York; **24.4** Fotolia.com (digitalfoto105), New York; **24.5** Shutterstock (majeczka), New York; **24.6** EKS, Renate Weber; **24.7** Shutterstock (Vasily Mulyukin), New York; **24.8** Shutterstock (lola1960), New York; **27.1** © salsatecas.de; **27.2** Fotolia.com (Jakub Cejpek), New York; **27.3** Fotolia.com (B. Wylezich), New York; **27.4** iStockphoto (tose), Calgary, Alberta; **27.5** iStockphoto (aprott), Calgary, Alberta; **28.1** Fotolia.com (alextan8), New York; **28.2** Shutterstock (Jaroslav Moravcik), New York; **29.1** Shutterstock (Ljupco Smokovski), New York; **29.2** iStockphoto (Sportstock), Calgary, Alberta; **30.1** Shutterstock (Arcady), New York; **30.2** Fotolia.com (Hugh O'Neill), New York; **30.3** Shutterstock (Stephen Finn), New York; **30.4** Shutterstock (Arcady), New York; **30.5** Shutterstock (Stephen Finn), New York; **30.6** Fotolia.com (guukaa), New York; **30.7** www.foehr-deichhof.com; **30.8** CORVUS, Inh. H. Gramsch, Bahnhofstr. 26, D 72138 Kirchentellinsfurt, GERMANY; **30.9** Fotolia.com (Reimer - Pixelvario), New York; **34.1** André Ludewig; **37.1** Corbis (Franek Strzeszewski), Düsseldorf; **38.1** Klett-Archiv (Bernd Gallandi), Stuttgart; **38.2** Shutterstock (Elnur), New York; **38.3** Dreamstime.com (Juanrvelasco), Brentwood, TN; **38.4** Thinkstock (nikoniaiii), München; **38.5** Fotolia.com (robepco), New York; **38.6** www.Ferien-im-Leuchtturm.de / Foto: Trettin; **38.7** iStockphoto (beklaus), Calgary, Alberta; **38.8** Thinkstock (xyno6), München; **39.1** Dreamstime.com (Yanik Chauvin), Brentwood, TN; **39.2** Shutterstock (Mika Heittola), New York; **39.3** Shutterstock (Iakov Filimonov), New York; **39.4** EKS, Renate Weber; **40.1** iStockphoto (Fotovika), Calgary, Alberta; **40.2** Thinkstock (ArtHdesign), München; **40.3** iStockphoto (Auris), Calgary, Alberta; **40.4** iStockphoto (Artkot), Calgary, Alberta; **40.5** Shutterstock (Africa Studio), New York; **40.6** Thinkstock (Stephanie Corbel), München; **40.7** Thinkstock (scanrail), München; **40.8** Klett-Archiv (Stephan Klonk), Stuttgart; **40.9** iStockphoto (ljiljana2004), Calgary, Alberta; **40.10** Klett-Archiv (Stephan Klonk), Stuttgart; **41.1** Klett-Archiv (Stephan Klonk), Stuttgart; **41.2** Klett-Archiv (Stephan Klonk), Stuttgart; **41.3** Thinkstock (BlueJames), München; **41.4** Shutterstock (Ansis Klucis), New York; **41.5** Fotolia.com (PhotographyByMK), New York; **41.6** Thinkstock (alexey_boldin), München; **41.7** Shutterstock (monika3steps), New York; **41.8** iStockphoto (wwing), Calgary, Alberta; **42.1** Fotolia.com (rdnzl), New York; **42.2** Thinkstock (kurga), München; **42.3** Shutterstock (Africa Studio), New York; **42.4** Thinkstock (BlueJames), München; **42.5** Shutterstock (33333), New York; **42.6** Fotolia.com (fotozick), New York; **42.7** Dreamstime.com (Akila1001), Brentwood, TN; **43.1** Renate Weber; **46.1** Klett-Archiv (Stephan Klonk), Stuttgart; **50.1** Shutterstock (Goodluz), New York; **50.2** Dreamstime.com (Antikainen), Brentwood, TN; **50.3** Shutterstock (wavebreakmedia), New York; **50.4** Shutterstock (Kzenon), New York; **50.5** Fotolia.com (Karin & Uwe Annas), New York; **51.1** Klett-Archiv (Stephan Klonk), Stuttgart; **51.2** Thinkstock (Top Photo Group), München; **51.3** Thinkstock (lukas_zb), München; **51.4** Shutterstock (Artens), New York; **51.5** Thinkstock (3sbworld), München; **51.6** Thinkstock (Nik_Merkulov), München; **51.7** iStockphoto (acilo), Calgary, Alberta; **51.8** Shutterstock (Kadak), New York; **51.9** Klett-Archiv (Stephan Klonk), Stuttgart; **51.10** Klett-Archiv (Stephan Klonk), Stuttgart; **52.1** Shutterstock (oksix), New York; **52.2** iStockphoto (AlexMax), Calgary, Alberta; **52.3** Thinkstock (ksevgi), München; **52.4** Shutterstock (Elnur), New York; **52.5** Shutterstock (Kucher Serhii), New York; **52.6** Shutterstock (Karkas), New York; **52.7** iStockphoto (ungorf), Calgary, Alberta; **52.8** Thinkstock (Issaurinko), München; **52.9** Shutterstock (TerraceStudio), New York; **52.10** Shutterstock (Simone Andress), New York; **52.12** Thinkstock (pixbox77), München; **52.12** Fotolia.com (Mexrix), New York; **53.1** Shutterstock (sagir), New York; **53.2** Shutterstock (Mega Pixel), New York; **53.3** Shutterstock (indigolotos), New York; **53.4** iStockphoto (dendong), Calgary, Alberta; **53.5** iStockphoto (titelio), Calgary, Alberta; **53.6** Claudia Stumpfe; **53.7** Shutterstock (BortN66), New York; **53.8** Thinkstock (Jasmina81), München; **53.9** Thinkstock (gongzstudio), München; **53.10** iStockphoto (kycstudio), Calgary, Alberta; **53.11** Shutterstock (Elnur), New York; **54.1** Thinkstock (Daniel Ernst), München; **54.1** www.tauschenamfluss.ch; **54.2** iStockphoto (monkeybusinessimages), Calgary, Alberta; **54.3** Thinkstock (AVAVA), München; **54.4** Thinkstock (kzenon), München; **54.5** iStockphoto (PattieS), Calgary, Alberta; **58.1** plainpicture (Lubitz + Dorner), Hamburg; **60.1** Wikimedia Commons (Manfred Werner (Tsui)); **60.2** André Fassl; **61.1** picture-alliance (HERBERT P. OCZERET / APA / picturedesk.com), Frankfurt; **61.2** Arman Rastegar; **62.2** Fotolia.com (tashka2000), New York; **63.1** Fotolia.com (Picture-Factory), New York; **64.1** Reto Oeschger; **64.2** Shutterstock (Maxal Tamor), New York; **64.3** Fotolia.com (styleuneed), New York; **66.1** Klett-Archiv (Stephan Klonk), Stuttgart; **67.1** Shutterstock (Image Point Fr), New York; **67.4** Shutterstock (Piotr Marcinski), New York; **70.1** Fotolia.com (Stefan Körber), New York; **70.2** Fotolia.com (Janina Dierks), New York; **70.3** Thinkstock (Wavebreakmedia Ltd), München; **70.4** Shutterstock (Lucky Business), New York; **70.5** Shutterstock (Patrick Poendl), New York; **70.6** Thinkstock (wakila), München; **71.1** Fotolia.com (britta60), New York; **71.2** Thinkstock (Elena Schweitzer), München; **71.3** EKS, Renate Weber; **71.4** iStockphoto (ollo), Calgary, Alberta; **71.5** Thinkstock (Tempusfugit), München; **71.5** Thinkstock (mediaphotos), München; **71.7** Thnkstock (badmanproduction), München; **71.8** Fotolia.com (Henry Schmitt), New York;

Bildquellennachweis Übungsbuch

94.1 iStockphoto (olegganko), Calgary, Alberta; **94.2** iStockphoto (Alex Belomlinsky), Calgary, Alberta; **94.3** Thinkstock (Yulia_Malinovskaya), München; **94.4** Thinkstock (ihorzigor), München; **94.5** Kartendaten © 2014 GeoBasisDE/BKG (©2009), Google; **95.1** Daniel Wang; **104.1** Klett-Archiv (Bernd Gallandi), Stuttgart; **104.2** Shutterstock (MNStudio), New York; **104.2** iStockphoto (pojoslaw), Calgary, Alberta; **104.3** Klett-Archiv (Bernd Gallandi), Stuttgart; **104.4** iStockphoto (leaf), Calgary, Alberta; **104.5** ; **104.6** iStockphoto (myhrcat), Calgary, Alberta; **106.1** Pitopia (Martina Berg), Karlsruhe; **106.2** Fotolia.com (fotografiedk), New York; **114.1** Thinkstock (Jupiterimages), München; **114.2** Shutterstock (Image Point Fr), New York; **130.3** Fotolia.com (Elena Schweitzer), New York; **131.1** Thinkstock (Remains), München; **131.4** Thinkstock (ulkan), München; **131.5** Thinkstock (aquariagirl1970), München; **131.6** Thinkstock (EHStock), München; **131.7** Thinkstock (Boris Ryzhkov), München; **131** iStockphoto (Homiel), Calgary, Alberta; **131** iStockphoto (mayamo), Calgary, Alberta; **131** iStockphoto (SednevaAnna), Calgary, Alberta; **132.1** Shutterstock (RazoomGame), New York; **132.2** Shutterstock (NemesisINC), New York; **132.3** iStockphoto (Ianych), Calgary, Alberta; **132.4** Shutterstock (NemesisINC), New York; **136.1** Thinkstock (pilipphoto), München; **137.1** Thinkstock (BananaStock), München; **137.2** Shutterstock (joingate), New York